Claudine Lacasse

Presto

Mathématique • 3e cycle du primaire

Manuel A
Volume 1

avec la collaboration
de France de Palma (sections *Opus*)
et de K. Traoré et P. Diallo, chercheurs au Cirade,
sous la direction de Philippe Jonnaert (sections *Cadence*)

LES ÉDITIONS
CEC
© QUÉBECOR MEDIA

8101, boul. Métropolitain Est, Anjou (Québec) Canada H1J 1J9
Téléphone : (514) 351-6010 • Télécopieur : (514) 351-3534

Directrice de l'édition
Diane De Santis

Directrice de la production
Danielle Latendresse

Directrice de la coordination
Isabel Rusin

Chargée de projet
Diane Karneyeff

Révision scientifique
Jean-Guy Smith

Conception et réalisation graphique
Matteau Parent graphisme et communication inc.

Illustrations
Irina Pusztai
Danielle Bélanger
Franfou

Nous tenons à remercier les élèves et les enseignantes du 3ᵉ cycle du primaire de l'école Sainte-Catherine-de-Sienne, à Montréal, et de l'école Champ-fleuri, à Prévost, pour leur aimable participation aux activités de ce manuel.

SOURCES DES PHOTOS

p. 6-7 Cynthia Marquis / Balzac Communications
p. 33   Mont Jacques Cartier : Publiphoto/Pierre Dunnigan
        Mont D'Iberville : Publiphoto/Pierre Dunnigan
        Mont Mégantic : Publiphoto/P.G. Adams
p. 35   Publiphoto/J.L. Martra
p. 55   Publiphoto/A. Allstock
p. 60   Megapress-Reflexion/Bob Burch
p. 74   Megapress Images/M. Newman
p. 76   Megapress/T. Philiptchenko
p. 77   Rorqual : Publiphoto/J. Lemire
p. 88   Sablier : Megapress-Reflexion/Camerique
        Affiche : Publiphoto-Explorer/J. L. Charmet
p. 105 Megapress-Reflexion/O'Neill
p. 106 Megapress Visual/S. Prunesec

Les élèves des écoles Sainte-Catherine-de-Sienne et Champ-fleuri ont été photographiés par Peter Pusztai.

La *Loi sur le droit d'auteur* interdit la reproduction d'œuvres sans l'autorisation des titulaires des droits. Or, la photocopie non autorisée — le photocopillage — a pris une ampleur telle que l'édition d'œuvres nouvelles est mise en péril. Nous rappelons donc que toute reproduction, partielle ou totale, du présent ouvrage est interdite sans l'autorisation écrite de l'Éditeur.

L'auteure et l'éditeur remercient les personnes suivantes qui ont participé à l'élaboration du projet à titre de consultantes ou qui ont expérimenté le matériel :

Jocelyne Denault
enseignante, c.s. des Grandes-Seigneuries

Annie Du Perron
enseignante, c.s. de Laval

Mélanie Michel
enseignante, c.s. de Laval

Johanne Roy
enseignante, c.s. de la Beauce-Etchemin

Dans cet ouvrage, la féminisation des titres de fonctions et des textes est conforme aux règles d'écriture proposées par l'Office de la langue française dans le guide *Au Féminin,* produit par Les publications du Québec, 1991.

Gouvernement du Québec – Programme de crédit d'impôt pour l'édition de livres – Gestion SODEC

© 2003, Les Éditions CEC inc.
8101, boul. Métropolitain Est
Anjou (Québec) H1J 1J9

Tous droits réservés. Il est interdit de reproduire, d'adapter ou de traduire l'ensemble ou toute partie de cet ouvrage sans l'autorisation écrite du propriétaire du copyright.

Dépôt légal : 2ᵉ trimestre 2003
Bibliothèque nationale du Québec
Bibliothèque nationale du Canada

ISBN 2-7617-1966-2

Imprimé aux États-Unis
3   4   5   07   06   05

Table des matières

	Page
Les manuels Presto	2
Opus	6
LA PYRAMIDE ANKH (observation des compétences)	8
leçon 1	15
leçon 2	21
leçon 3	27
leçon 4	33
leçon 5	39
leçon 6	45
leçon 7	51
Concerto pour la terre	57
Au diapason 1	58
Concerto pour les terriens	60

	Page
leçon 8	61
leçon 9	67
leçon 10	73
leçon 11	79
leçon 12	85
leçon 13	91
leçon 14	97
Concerto pour la terre	103
Au diapason 2	104
Concerto pour les terriens	106
Cadence	107
Savoirs essentiels	109
Extra	110

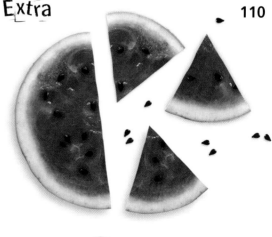

⬤ Arithmétique   ⬤ Géométrie   ⬤ Mesure   ◯ Probabilité et statistique

Les manuels Presto

> Dans les manuels Presto, tu trouveras 98 leçons.

> › Tu développeras tes compétences en résolution de situations-problèmes.
>
> › Tu amélioreras ton raisonnement et ta pensée logique en plus d'enrichir ton langage mathématique.
>
> › En manipulant du matériel, tu pourras construire des concepts que tu appliqueras mieux par la suite.
>
> › Tes méthodes de travail et tes stratégies d'apprentissage deviendront de plus en plus efficaces.

Chaque leçon comprend une démarche en trois étapes:
› **la mise en situation,**
› la réalisation,
› l'intégration.

À l'étape de la **mise en situation**, on te soumet une question afin que tu puisses communiquer tes stratégies, ce que tu sais, ce que tu as déjà expérimenté.

Cette situation te donne un aperçu de ce que tu réaliseras à la prochaine étape.

Leçon 10

Voici des renseignements au sujet de 2 espèces de macaques. Quel schéma pourrais-tu élaborer pour découvrir toutes les différences de masses possibles entre ces 2 espèces ?

MACAQUE À TOQUE
Ordre: primates
Taille: de 38 à 53 cm
Masse: de 3 à 6 kilogrammes
Habitat: les forêts tropicales du Sri Lanka
Note: Ce macaque passe les trois quarts de son temps dans les arbres.

MACAQUE NÈGRE
Ordre: primates
Taille: de 45 à 55 cm
Masse: de 8 à 10 kilogrammes
Habitat: les forêts humides de Sulawesi
Note: En 10 ans, la moitié de cette population de macaques a été décimée.

soixante-treize 73

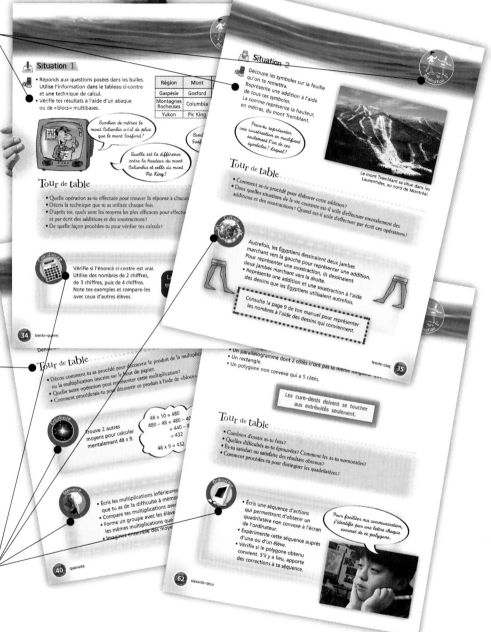

> La résolution de situations-problèmes au coeur de l'activité mathématique !

À l'étape de la **réalisation**, on te propose deux situations mathématiques. Tu peux choisir d'en résoudre une, ou les deux.

À cette étape :

› Tu découvres, tu construis tes savoirs en utilisant différentes ressources.

› Tu t'exprimes et tu compares tes idées avec celles des autres.

› Tu peux choisir des activités selon tes goûts.

› Tu peux travailler en groupe, apprendre à coopérer et à exercer ton jugement critique.

La section Tour de table te permet de discuter, en groupe ou collectivement, des démarches et des stratégies que tu as utilisées.

› Tu peux communiquer ce que tu ne comprends pas, ce que tu as appris et ce que tu ressens.

À cette étape, on retrouve au moins l'une de ces cinq rubriques.

Des pictogrammes indiquent le matériel à utiliser dans les manuels Presto.

 Utilise une feuille ou ton cahier.

 Utilise du matériel de manipulation.

 Utilise la feuille qu'on te remettra.

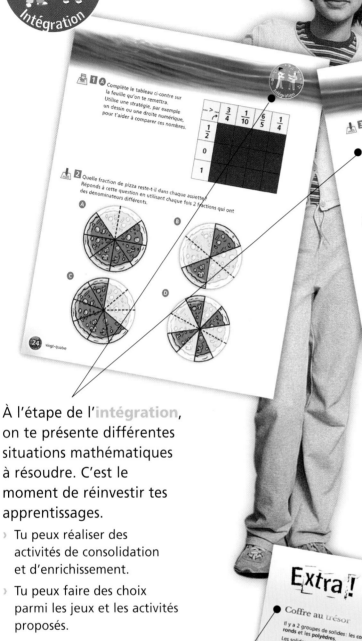

À l'étape de l'intégration, on te présente différentes situations mathématiques à résoudre. C'est le moment de réinvestir tes apprentissages.

› Tu peux réaliser des activités de consolidation et d'enrichissement.

› Tu peux faire des choix parmi les jeux et les activités proposés.

Si tu éprouves des difficultés au cours de la leçon, consulte la page

Extra!

Tu y trouveras la section Coffre au trésor et la section Vocabulaire.

La section Cherche et trouve te propose de courtes tâches ou recherches que tu peux faire à l'école ou à la maison.

Dans la section Gammes, tu peux améliorer tes connaissances sur les nombres et devenir un as du calcul mental.

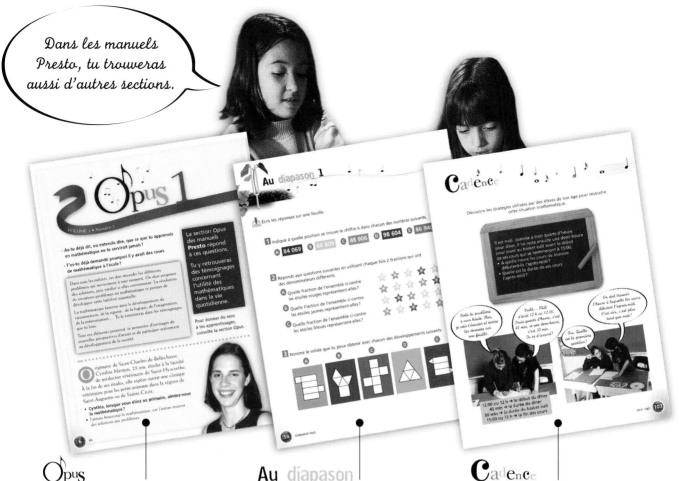

Dans les manuels Presto, tu trouveras aussi d'autres sections.

Opus

Des entrevues avec des personnes qui témoignent de l'utilité de la mathématique dans leur vie quotidienne.

Au diapason

Des tâches qui te permettent d'analyser tes apprentissages après chaque groupe de sept leçons.

Cadence

Des entrevues réalisées avec des élèves de ton âge sur les stratégies qu'ils et elles utilisent pour résoudre différentes situations mathématiques.

Concerto pour la terre

Des situations mathématiques qui ont pour thème la terre, par exemple la flore, la faune, l'environnement.

La résolution de ces situations te permet de synthétiser tes apprentissages.

Concerto pour les terriens

Des situations mathématiques qui ont pour thème les terriens, par exemple la vie quotidienne des enfants dans d'autres pays.

Une belle occasion d'aller plus loin et de faire de ces pages le point de départ d'un projet de classe.

VOLUME 1 • Numéro 1

- **As-tu déjà dit, ou entendu dire, que ce que tu apprenais en mathématique ne te servirait jamais?**

- **T'es-tu déjà demandé pourquoi il y avait des cours de mathématique à l'école?**

Dans tous les métiers, on doit résoudre les différents problèmes qui surviennent à tout moment. On doit proposer des solutions, puis vérifier si elles conviennent. La résolution de situations-problèmes en mathématique te permet de développer cette compétence.

La mathématique favorise aussi le développement du raisonnement, de la rigueur, de la logique, de l'imagination, de la mémorisation… Tu le constateras dans les témoignages que tu liras.

Tous ces éléments pourront te permettre d'envisager de nouvelles perspectives d'avenir et de participer activement au développement de la société.

La section *Opus* des manuels **Presto** répond à ces questions.

Tu y retrouveras des témoignages concernant l'utilité des mathématiques dans la vie quotidienne.

Pour donner du sens à tes apprentissages, consulte la section *Opus*.

Originaire de Saint-Charles-de-Bellechasse, Cynthia Marquis, 25 ans, étudie à la faculté de médecine vétérinaire de Saint-Hyacinthe. À la fin de ses études, elle espère ouvrir une clinique vétérinaire pour les petits animaux dans la région de Saint-Augustin ou de Sainte-Croix.

- **Cynthia, lorsque vous étiez au primaire, aimiez-vous la mathématique?**
- J'aimais beaucoup la mathématique, car j'aimais trouver des solutions aux problèmes.

Opus 1

- **Quelle méthode d'enseignement était privilégiée dans votre école ?**
- Au primaire, nous apprenions les tables par cœur, mais nous avions aussi des jeux.

- **Y a-t-il une personne en particulier qui vous a fait aimer la mathématique ?**
- Oui, mon enseignante de 6ᵉ année. Elle était formidable. Elle stimulait les plus forts et aidait les plus faibles. Elle nous encourageait et nous la respections.

- **Avez-vous eu besoin de la mathématique pour poursuivre vos études en vue de la carrière de votre choix ?**
- Absolument ! D'abord pour être acceptée au cégep en techniques de la santé animale, puis à l'université au baccalauréat en agronomie et ensuite au baccalauréat en médecine vétérinaire.

- **L'apprentissage de la mathématique vous a-t-il aidée dans votre carrière ?**
- J'ai su gérer la petite entreprise de toilettage d'animaux que j'ai fondée. Et lors de mes stages en clinique vétérinaire, je me sentais à l'aise pour effectuer les opérations de gestion et de soins dont j'étais responsable.

- **La mathématique est-elle importante dans votre vie quotidienne ?**
- Oui. Je peux tout aussi bien faire mes courses à l'épicerie et économiser en comparant les prix, que calculer les doses de médicaments à donner aux animaux que je soigne et interpréter leur fréquence cardiaque.

- **La mathématique est-elle importante pour s'assurer un avenir meilleur ?**
- Sans mes connaissances mathématiques, je n'aurais pas pu réaliser mon rêve de devenir vétérinaire. J'ai un avenir qui me permettra de vivre selon mes valeurs profondes, ce qui est très important pour moi.

LA PYRAMIDE ANKH

Visite la pyramide ANKH en compagnie d'un archéologue et de sa fille Juliette.

Résous les 6 énigmes mathématiques proposées par l'archéologue.

Utilise tes compétences mathématiques.

Chaque énigme résolue te permet d'obtenir un morceau de casse-tête.

À l'aide de ce casse-tête, découvre l'objet égyptien qui représente l'immortalité.

1 Autrefois, les Égyptiens utilisaient des dessins pour représenter les chiffres d'un nombre.
Sur un mur de la salle à l'entrée de la pyramide, l'archéologue observe un nombre.

Il remarque qu'il manque 2 chiffres dans ce nombre.
Découvre le nombre complet à l'aide des indices suivants.

Les scribes égyptiens utilisaient un dessin pour désigner le nombre 1,

un autre pour désigner le nombre 10,

un autre pour le nombre 100 et ainsi de suite.

Par exemple, le dessin 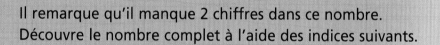 représentait le nombre 10.

On répétait ces dessins autant de fois qu'il le fallait

pour exprimer les différents nombres.

Le nombre que tu dois découvrir est formé de chiffres différents.

Il se situe entre 21 300 et 21 400.

2 Près du cercueil d'un chat, l'archéologue découvre des hiéroglyphes que les Égyptiens utilisaient pour indiquer des fractions.

Lequel de ces hiéroglyphes ne représente ni la plus grande ni la plus petite quantité ?

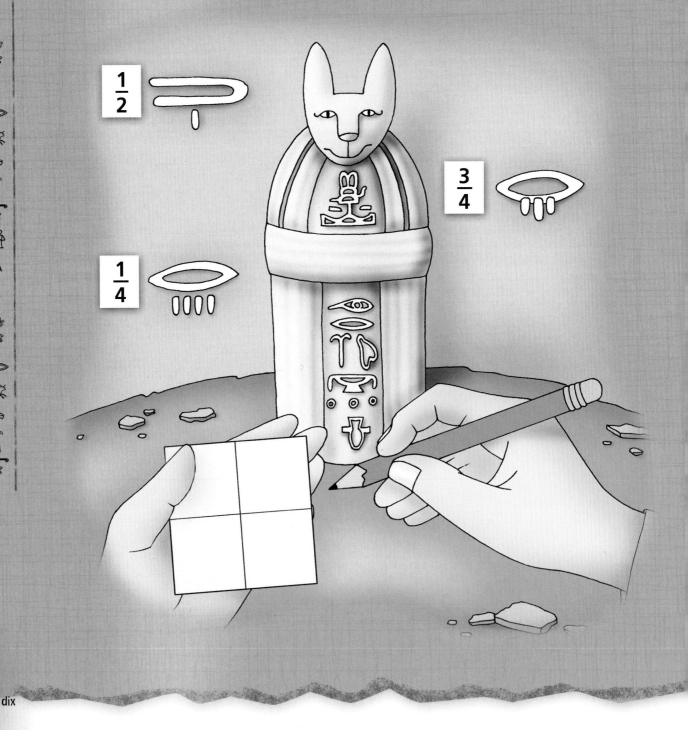

3 L'archéologue doit effectuer plusieurs calculs pendant sa visite.
Il demande à sa fille de l'aider.
Juliette éprouve des difficultés à effectuer ces opérations.
Quelle est l'opération dont le résultat est inexact?

269 × 7 = 1883

7043 − 5982 = 1061

774 ÷ 9 = 860

2689 + 4035 = 6724

4 Avant d'entrer dans la salle où se trouve le cercueil royal,
l'archéologue et sa fille passent devant un sphinx.
Autrefois, le sphinx était le gardien des mystères.
Il symbolisait le savoir caché.
Pour amuser Juliette, l'archéologue lui propose une énigme.
Démontre tes compétences et résous cette énigme.

La somme des âges de 3 chats est 21 ans. Le chat noir est 2 fois plus âgé que le chat gris et 4 fois plus âgé que le chat blanc. Quel est l'âge de chacun de ces chats ?

Près du cercueil royal, l'archéologue explique à Juliette les unités de mesure utilisées autrefois par les Égyptiens.

Les Égyptiens utilisaient 2 systèmes pour mesurer des longueurs. L'un était utilisé dans la décoration des tombes, des temples et des palais. L'autre était utilisé dans la vie courante, par les arpenteurs et les géomètres. Dans le premier système, l'unité de mesure appelée « pouce » équivalait à une longueur de 2,5 cm et l'unité appelée « doigt », à 1 dm. Combien de « pouces » fallait-il mettre bout à bout pour obtenir un « doigt » ?

Utilise un instrument de mesure pour découvrir cette réponse.

6 Le cercueil royal est orné de formules magiques et de symboles.
Pour les Égyptiens, il représente un bateau.
La longueur de ce cercueil est de 192 cm, la largeur est de 51 cm
et la hauteur, de 61 cm.
L'archéologue doit emballer le cercueil pour le transporter au musée
où il étudiera son contenu.
La boîte qu'il utilise a la forme d'un prisme ayant les mêmes dimensions
que ce cercueil.
Quel est le périmètre de la plus grande face de cette boîte ?

Tu as résolu les 6 énigmes ?
Assemble le casse-tête
et découvre l'objet égyptien
qui représente l'immortalité.

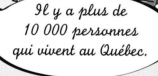

Leçon 1

Il arrive quelquefois que l'on transforme la réalité en utilisant des nombres qui ne conviennent pas.

Parmi les personnes ci-dessous, lesquelles utilisent des nombres qui conviennent aux situations décrites ?

> *Il y a plus de 10 000 personnes qui vivent au Québec.*

> *Je peux réussir à lancer 1000 fois de suite le ballon dans le panier.*

> *J'ai vu 100 000 oiseaux dans un arbre ce matin.*

> *Il y a au moins 100 livres dans mon sac d'école.*

> *J'ai 10 fautes à corriger dans mon devoir.*

Situation 1

Sans effectuer de calculs, découvre le nombre indiqué par Timmy. Utilise 2 moyens différents. Présente à d'autres élèves les moyens et les démarches que tu as utilisés, puis compare-les.

> J'ai parcouru au moins 8 centaines de kilomètres à bicyclette durant les vacances.

> Moi, j'ai fait 100 fois plus de kilomètres que toi.

Tour de table

- D'après toi, quelle procédure est la plus efficace pour découvrir ce nombre?
- La situation décrite par Timmy est-elle réaliste?
- Quelles différences y a t-il entre les nombres indiqués par Maria et Timmy?
- Comment procèdes-tu pour estimer des quantités?
- Dans quelles situations de la vie courante utilise-t-on des nombres supérieurs à 1000?
- De quelle façon représente-t-on les nombres dans la vie courante?

Calculatrice

Tu dois remplacer par 8 le chiffre à la position des unités de mille dans chacun des nombres suivants. Sur quelles touches dois-tu appuyer?

A 23 459   **B** 1672   **C** 90 314

Situation 2

Quel nombre peut correspondre à chacune des quantités décrites par les personnes ci-dessous ?

On peut observer des milliers d'étoiles filantes durant les Perséides.

On peut observer des dizaines d'étoiles filantes durant les Perséides.

On peut observer des centaines d'étoiles filantes durant les Perséides.

Tour de table

- Quelles sont les caractéristiques des nombres que tu as choisis ?
- Comment as-tu procédé pour obtenir ces nombres ?
- Les mots « dizaine », « centaine » et « millier » peuvent-ils représenter des quantités équivalentes ? Explique ta réponse.

Mémoire

Observe les nombres ci-dessous pendant 1 minute.
Ferme ensuite ton manuel et écris ces nombres sur une feuille.

| 23 456 | 56 789 | 12 345 |
| 45 678 | 67 890 | 34 567 |

Quelle stratégie as-tu utilisée pour mémoriser ces nombres ? Présente ta stratégie à d'autres élèves.

1 Le jeu des poissons

- Ce jeu se joue à 2. On a besoin d'un dé et de jetons.

- Chaque élève représente, avec des jetons, le plus grand nombre possible dans l'un des tableaux de numération. Il ou elle utilise les chiffres de sa date de naissance pour former ce nombre et remplir toutes les cases.
  Dans chaque case, la quantité de jetons doit correspondre au chiffre à cette position.

- À tour de rôle, les élèves jettent le dé. Si le résultat est pair, l'élève enlève le nombre de jetons indiqué par le dé dans le tableau de son adversaire. Si le résultat est impair, l'élève ajoute le nombre de jetons indiqué par le dé dans le tableau de son adversaire. On fait les échanges qui conviennent.

- La partie se termine lorsque chaque élève a jeté le dé 10 fois.
  La personne dont le tableau représente le plus grand nombre gagne la partie.

- On peut recommencer le jeu et changer la règle. La personne gagnante sera celle dont le tableau représente le plus petit nombre.

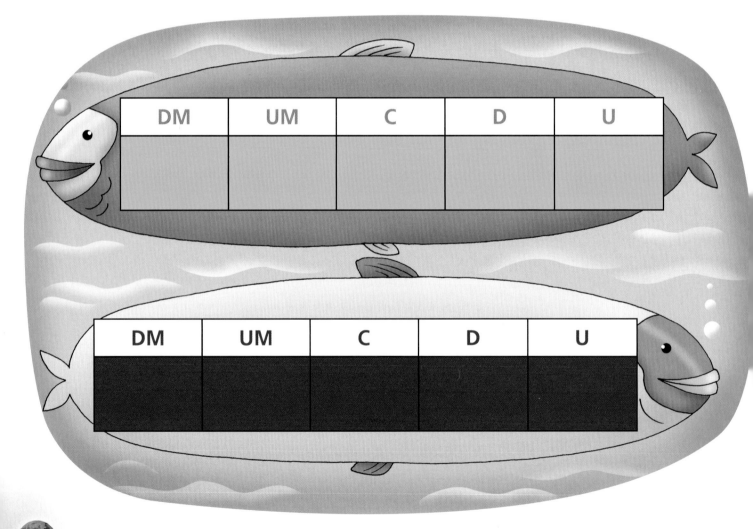

2 Ⓐ Quel est le plus petit nombre que l'on peut former en disant tous les mots ci-dessous?

mille   **dix**   **quatre**

soixante   **cent**

Ⓑ Quels sont tous les autres nombres plus petits que 100 000 que l'on peut former en disant tous les mots indiqués en A?

3 Quel est le plus grand nombre ayant le chiffre 6 à la position des unités de mille qui vient avant chacun des nombres suivants?

Ⓐ **25 783**   Ⓑ **50 000**   Ⓒ **72 300**   Ⓓ **11 111**

4 Complète les énoncés ci-dessous en respectant la consigne suivante:
Les nombres doivent avoir le chiffre 8 à la position des centaines et à la position des dizaines de mille.

Ⓐ **796 < ?**   Ⓑ **? > 80 904**   Ⓒ **48 609 < ?**

Cherche et trouve •••••••••••••••••••••••••••

- Le nombre de calories contenues dans 2 bols de céréales.
- Le nombre de kilomètres entre Rimouski et Montréal.
- Le nombre de kilomètres parcourus par le papillon monarque au cours de sa migration vers le sud.

Sur une droite numérique de 100 à 100 000, où se situe chacun de ces nombres?

Extra !

Coffre au trésor

La valeur d'un chiffre ou d'un groupe de chiffres dans un nombre varie selon la position qu'ils occupent.

Un groupe de 10 unités vaut 1 dizaine.

Un groupe de 100 unités vaut 1 centaine ou 10 dizaines.

Un groupe de 1000 unités vaut 1 unité de mille, 10 centaines ou 100 dizaines.

Un groupe de 10 000 unités vaut 1 dizaine de mille, 10 unités de mille, 100 centaines ou 1000 dizaines.

DM	UM	C	D	U
			1	0
		1	0	0
	1	0	0	0
1	0	0	0	0

Vocabulaire

Chiffres et nombres

Les chiffres sont des symboles qui servent à écrire les nombres. Dans notre système de numération, nous utilisons les symboles 0, 1, 2, 3, 4, 5, 6, 7, 8 et 9 pour écrire les nombres. Les nombres sont généralement utilisés dans la vie courante pour exprimer des quantités.

Millier

Un millier équivaut à une quantité de 1000 unités.

Il y a des milliers d'étoiles dans le ciel.

Gammes

- Récite, par bonds de 10, les nombres de 40 700 à 41 050.

- Récite, par bonds de 100, les nombres de 23 100 à 21 200.

- Récite une suite de 5 nombres qui ont le même chiffre à la position des dizaines de mille.

Leçon 2

On utilise souvent des fractions dans les recettes de cuisine.
Philippe confectionne des biscuits.
Il verse le lait dans le contenant illustré ci-dessous.

Il a besoin de remplir les $\frac{2}{3}$ du contenant pour sa recette.

Jusqu'où doit-il verser le lait?

Situation 1

 Répartis des biscuits au chocolat et des biscuits à l'avoine dans les boîtes illustrées sur les feuilles qu'on te remettra. Respecte les consignes suivantes.

Dans chacune des boîtes:

- • Tu dois placer un seul biscuit par section.
  Tu dois remplir toutes les sections.
- • Tu ne dois pas placer la même quantité de biscuits au chocolat et de biscuits à l'avoine.
- • Tu dois être capable de décrire la répartition des biscuits à l'aide d'une fraction dont le dénominateur est 4.

Je vais représenter chaque biscuit à l'avoine par un jeton bleu et chaque biscuit au chocolat par un jeton rouge.

Tour de table

- • Comment as-tu procédé pour répartir les biscuits dans chacune des boîtes?
- • Décris chacune des boîtes que tu as remplies en utilisant des termes mathématiques.
- • Quelles boîtes sont remplies plus qu'à moitié de biscuits au chocolat? de biscuits à l'avoine?
- • Peux-tu décrire la répartition des biscuits à l'aide de fractions différentes? Lesquelles?

Créativité

Trouve 3 autres façons de représenter deux litres d'eau.

Deux litres d'eau, c'est quatre demi-litres d'eau.

Deux litres d'eau, c'est huit quarts de litre d'eau.

Situation 2

La longueur d'une réglette orange correspond à $\frac{1}{5}$ de la longueur de la plaque à biscuits de Philippe.

- Coupe une bande de papier qui a la même longueur que la plaque à biscuits de Philippe.
- Représente les fractions ci-dessous sur cette bande. Utilise une stratégie qui convient.

$\frac{3}{5}$ $\frac{1}{10}$ $\frac{1}{2}$ $\frac{8}{10}$

Tour de table

- Comment as-tu procédé pour représenter la longueur de cette plaque à biscuits?
- Quelle stratégie as-tu utilisée pour déterminer la position des fractions sur ta bande de papier?

Certaines expériences scientifiques consistent à mélanger le contenu de deux éprouvettes.
Représente par un dessin le contenu de l'éprouvette du professeur lorsque l'expérience sera terminée.

Professeur, le $\frac{1}{3}$ de mon éprouvette contient du liquide vert.

Nos éprouvettes sont identiques. Le $\frac{1}{2}$ de mon éprouvette contient du liquide rouge. Versons le contenu de ton éprouvette dans la mienne.

 1 Complète le tableau ci-contre sur la feuille qu'on te remettra.
Utilise une stratégie, par exemple un dessin ou une droite numérique, pour t'aider à comparer ces nombres.

... > ... ↗	$\frac{3}{4}$	$\frac{1}{10}$	$\frac{6}{5}$	$\frac{1}{4}$
$\frac{1}{2}$				
0				
1				

 2 Quelle fraction de pizza reste-t-il dans chaque assiette?
Réponds à cette question en utilisant chaque fois 2 fractions qui ont des dénominateurs différents.

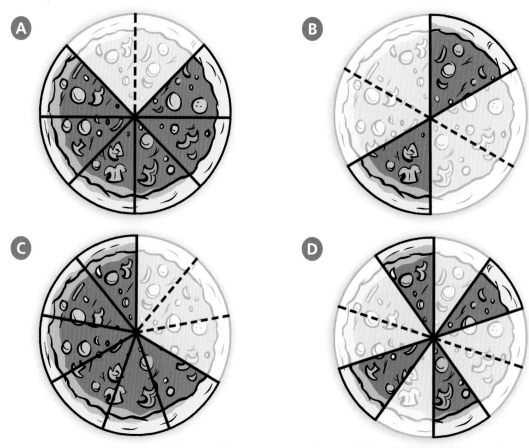

 3 On a remis une bouteille d'un litre d'eau à chacune des personnes qui ont participé à une marche pour la paix.

Les fractions ci-dessous indiquent la quantité d'eau qu'il reste dans quelques-unes des bouteilles à la fin de la marche.

A Quel nombre indique en combien de parties chacune de ces bouteilles a été partagée?

B Quel nombre indique le nombre de parties qu'il reste dans chacune de ces bouteilles?

 4 Parmi les représentations ci-dessous, lesquelles indiquent qu'un quart du polygone est colorié?

> *Y a-t-il une représentation qui indique que moins de $\frac{1}{4}$ du polygone est colorié? Laquelle?*

a)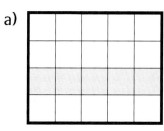

b)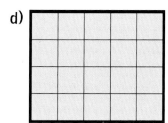

c)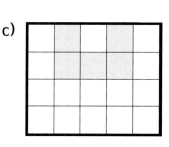

d)

Cherche et trouve •••••••••••

- La fraction des élèves de ta classe nés durant l'été, l'automne, l'hiver ou le printemps.
- Des situations de la vie courante où l'on utilise et compare des fractions.

> *Où se situent ces nombres sur une droite numérique?*

Extra !

Coffre au trésor

Il peut être possible de partager un tout ou une collection d'objets en différentes parties équivalentes.

Par exemple, la collection ci-dessous peut être partagée en 2, en 3, en 4, en 6 et en 12 parties équivalentes.

Le $\frac{1}{2}$, les $\frac{2}{4}$, les $\frac{3}{6}$ et les $\frac{6}{12}$ de cette collection représentent la même quantité.

Vocabulaire

Numérateur
Le numérateur d'une fraction indique le nombre de parties équivalentes du tout ou de la collection d'objets que l'on veut représenter. Ce terme est placé au-dessus de la barre de fraction.

Dénominateur
Le dénominateur d'une fraction indique en combien de parties équivalentes le tout, ou la collection d'objets, a été partagé. Ce terme est placé au-dessous de la barre de fraction.

Gammes

- Quel est le tiers de 3, de 9, de 12, de 18, de 27, de 30 ?

- Quel est le quart de 36, de 20, de 16, de 12 ?

- Écris en lettres les fractions suivantes : $\frac{3}{5}, \frac{8}{10}, \frac{2}{4}, \frac{1}{6}$.

Leçon 3

On peut utiliser différents solides pour construire une maquette.

Voici la tour d'un château.

Comment procéderais-tu pour obtenir les 2 solides nécessaires à la construction de cette tour?

Situation 1

Complète le développement d'un prisme à base carrée sur la feuille qu'on te remettra.
À l'aide de ce développement, construis l'une des deux sections de la tour d'un château.

Tour de table

- Quelle information as-tu utilisée pour compléter le développement du prisme?
- Est-il possible d'obtenir le même résultat en utilisant un développement différent? Lequel?
- Quels termes mathématiques peux-tu utiliser pour décrire ce prisme?

Au Moyen Âge, dans les villes, certaines rues étaient pavées de pierres taillées en forme de prismes.
Élabore le développement d'un prisme ayant la forme d'une alvéole d'abeille.
Imprime ton développement, puis construis ce prisme afin de vérifier s'il convient.
En imprimant plusieurs exemplaires de ton développement, tu pourras construire plusieurs prismes et représenter un pavé.

Situation 2

Trace le développement d'une pyramide sur la feuille qu'on te remettra afin de construire l'autre section de la tour du château. Cette section servira de toit. Compare ton développement avec celui d'autres élèves. Discute des ressemblances et des différences.

Je vais utiliser l'une des faces du prisme construit à la situation 1 pour tracer la base de ma pyramide.

Tour de table

- Comment as-tu procédé pour tracer le développement de la pyramide?
- Quelles ressemblances y a-t-il entre les faces de ton solide?
- Qu'as-tu fait pour que les bases du prisme et de la pyramide s'ajustent parfaitement?
- Quelles modifications devrais-tu apporter au développement de la pyramide pour obtenir une base ayant plus de côtés? Quelles modifications devrais-tu alors apporter au développement du prisme de la situation 1?
- Quel sens donnes-tu aux mots « sommet » et « arête »?

Présente à des élèves les moyens que tu utilises pour retenir les noms des solides.

1 **Tic-tac-polyèdres**

- Ce jeu se joue à 3. Un ou une élève du groupe joue le rôle d'arbitre.
  Les autres élèves utilisent chacun une couleur différente de jetons.
- Le but du jeu est d'aligner 3 jetons de la même couleur sur la planche de jeu.
- À tour de rôle, on choisit une case et on indique le nom, le nombre de faces,
  le nombre de sommets et le nombre d'arêtes du solide illustré ou de celui
  que l'on obtiendrait à l'aide du développement présenté.
- L'arbitre vérifie chaque description. Si elle convient, le jeton reste en place,
  sinon l'arbitre le retire.

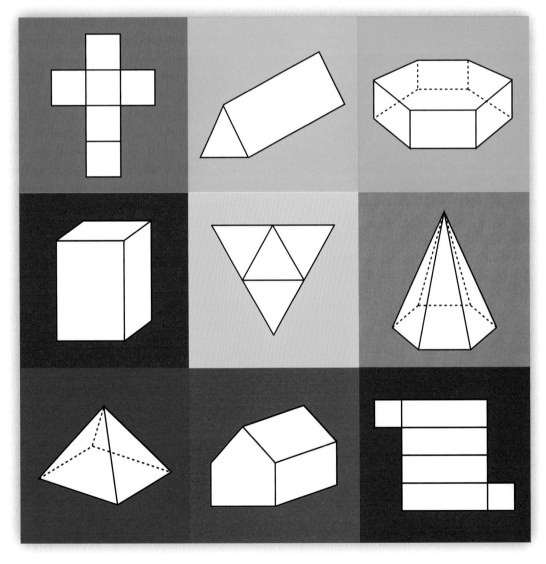

 2 Construis un solide semblable
à celui que tu obtiendrais avec
le développement ci-contre.
Utilise des cubes emboîtables.

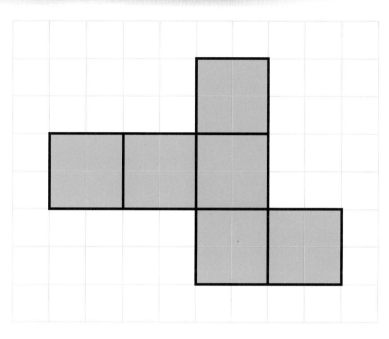

3 Décris les faces des solides ci-dessous à l'aide de termes mathématiques.

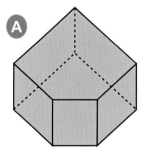

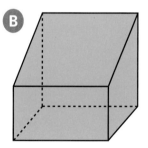

A... AR...

VOCABULAIRE MATHÉMATIQUE

Cherche et trouve •••••••••••••••••••••••••••••••••••

- Des objets de la vie courante qui ressemblent aux solides suivants :
  solide ayant seulement une surface courbe, solide ayant seulement des faces planes,
  solide ayant une surface courbe et deux faces planes.
- Comment représenter le squelette d'un cube à l'aide de pailles et de pâte à modeler.

Extra !

Coffre au trésor

Il y a 2 groupes de solides : les **corps ronds** et les **polyèdres**.

Les solides qui font partie du groupe des corps ronds comportent au moins **une surface courbe**.

boule (sphère)   cylindre   cône

Les solides qui font partie du groupe des polyèdres comportent **seulement des faces planes**.

prisme   cube
à base carrée

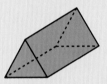 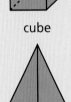

prisme à base   pyramide à base
triangulaire   triangulaire

Vocabulaire

Développement d'un solide

La surface des polyèdres peut être mise à plat à partir de découpages le long de certaines arêtes.
La figure ainsi obtenue s'appelle un développement du solide.

Arête et sommet

Dans un polyèdre, une arête correspond à l'endroit où se rencontrent 2 faces.

Dans un polyèdre, un sommet correspond à l'endroit où se rencontrent au moins 3 faces.

Prisme et pyramide

Les prismes et les pyramides sont des polyèdres.
Ces solides ont des bases qui les caractérisent et qui permettent de les identifier avec précision.
Les prismes ont 2 polygones identiques et parallèles qui leur servent de bases. Les pyramides ont un seul polygone qui leur sert de base.

Gammes

- Invite un ou une élève à te dicter 5 nombres.
  Arrondis ces nombres à la dizaine près.

L'année 2002 a été proclamée Année internationale de la montagne
par les Nations unies.

Voici quelques montagnes du Québec.

Comment procéderais-tu pour trouver la différence entre la hauteur du mont D'Iberville
et celle du mont Jacques-Cartier en avançant sur une droite numérique?

Mont Mégantic
1105 m

Mont Jacques-Cartier
1268 m

Mont D'Iberville
1652 m

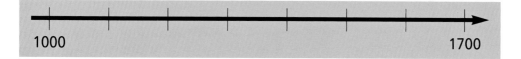

1000   1700

 ## Situation 1

- Réponds aux questions posées dans les bulles. Utilise l'information dans le tableau ci-contre et une technique de calcul.
- Vérifie tes résultats à l'aide d'un abaque ou de «blocs» multibases.

Région	Mont	Altitude (en mètres)
Gaspésie	Gosford	1192
Montagnes Rocheuses	Columbia	3747
Yukon	Pic King	5173

Combien de mètres le mont Columbia a-t-il de plus que le mont Gosford?

Combien de mètres le mont Gosford a-t-il de moins que le mont Pic King?

Quelle est la différence entre la hauteur du mont Columbia et celle du mont Pic King?

Tour de table

- Quelle opération as-tu effectuée pour trouver la réponse à chacune de ces questions?
- Décris la technique que tu as utilisée chaque fois.
- D'après toi, quels sont les moyens les plus efficaces pour effectuer mentalement et par écrit des additions et des soustractions?
- De quelle façon procèdes-tu pour vérifier tes calculs?

Calculatrice

Vérifie si l'énoncé ci-contre est vrai. Utilise des nombres de 2 chiffres, de 3 chiffres, puis de 4 chiffres. Note tes exemples et compare-les avec ceux d'autres élèves.

La somme de 2 nombres qui se suivent est toujours un nombre impair.

Situation 2

Découpe les symboles sur la feuille qu'on te remettra.
Représente une addition à l'aide de tous ces symboles.
La somme représente la hauteur, en mètres, du mont Tremblant.

> *Peux-tu représenter une soustraction en modifiant seulement l'un de ces symboles? Lequel?*

Le mont Tremblant se situe dans les Laurentides, au nord de Montréal.

Tour de table

- Comment as-tu procédé pour élaborer cette addition?
- Dans quelles situations de la vie courante est-il utile d'effectuer mentalement des additions et des soustractions? Quand est-il utile d'effectuer par écrit ces opérations?

Culture

Autrefois, les Égyptiens dessinaient deux jambes marchant vers la gauche pour représenter une addition. Pour représenter une soustraction, ils dessinaient deux jambes marchant vers la droite.
- Représente une addition et une soustraction à l'aide des dessins que les Égyptiens utilisaient autrefois.

Consulte la page 9 de ton manuel pour représenter les nombres à l'aide des dessins qui conviennent.

1 Un musée a accueilli 876 visiteurs en 2 jours.
Combien de visiteurs se sont présentés le premier jour si l'on a accueilli 389 visiteurs le second jour?

2 Au début d'une semaine, l'odomètre d'une automobile indiquait 4082 kilomètres.
Au bout de 7 jours, l'odomètre indiquait 6791 kilomètres.
Combien de kilomètres cette automobile a-t-elle parcourus durant la semaine?

3 En 1996, dans une ville, il y avait 3350 personnes qui se rendaient à leur travail en utilisant les transports en commun tandis que 4725 personnes s'y rendaient à pied.
Les autres personnes utilisaient leur automobile.
Combien de personnes n'utilisaient pas l'automobile pour se rendre à leur travail?

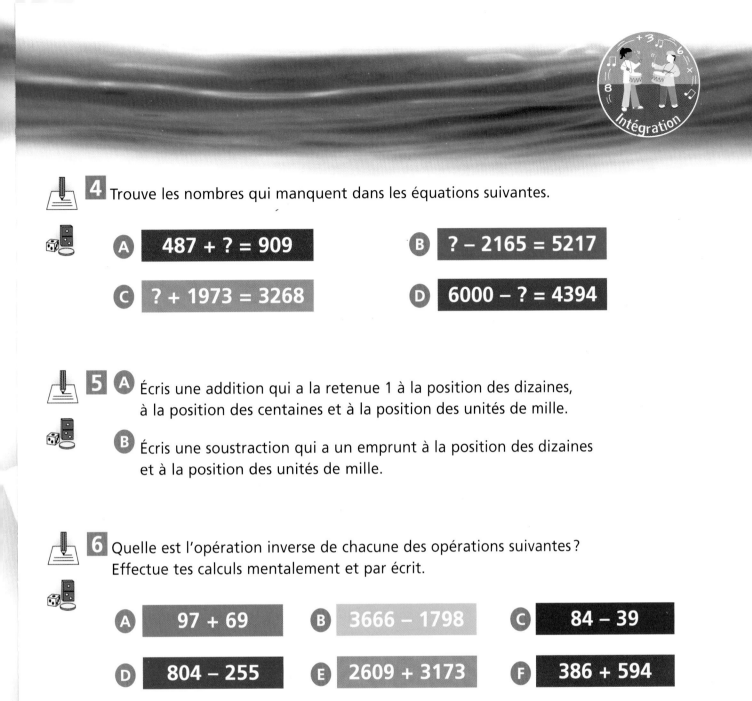

4 Trouve les nombres qui manquent dans les équations suivantes.

A 487 + ? = 909

B ? − 2165 = 5217

C ? + 1973 = 3268

D 6000 − ? = 4394

5 **A** Écris une addition qui a la retenue 1 à la position des dizaines, à la position des centaines et à la position des unités de mille.

B Écris une soustraction qui a un emprunt à la position des dizaines et à la position des unités de mille.

6 Quelle est l'opération inverse de chacune des opérations suivantes ? Effectue tes calculs mentalement et par écrit.

A 97 + 69

B 3666 − 1798

C 84 − 39

D 804 − 255

E 2609 + 3173

F 386 + 594

Cherche et trouve •••••••••••••••••••••••••••

- La différence, en mètres, entre la hauteur du mont Everest et celle du mont Tremblant.
- Le nombre de kilomètres parcourus par une voiture pendant une semaine, deux semaines ou un mois.

Situation 1

- Invite une ou un élève à écrire sur un bout de papier une multiplication d'un nombre de 2 ou 3 chiffres par un nombre inférieur à 10.
- Trouve le produit de cette multiplication en utilisant seulement un abaque.
- Laisse la représentation du produit sur l'abaque et remets-le à un ou une autre élève en lui chuchotant le plus petit facteur de la multiplication.
  Demande à cette personne de découvrir la multiplication inscrite sur le bout de papier.

Tour de table

- Décris comment tu as procédé pour découvrir le produit de la multiplication ou la multiplication inscrite sur le bout de papier.
- Quelle autre opération peut représenter cette multiplication?
- Comment procéderais-tu pour découvrir ce produit à l'aide de «blocs» multibases, base 10?

Créativité

Trouve 2 autres moyens pour calculer mentalement 48 × 9.

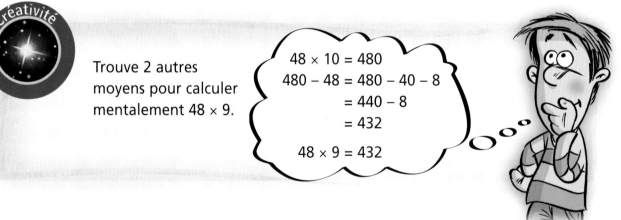

$$48 \times 10 = 480$$
$$480 - 48 = 480 - 40 - 8$$
$$= 440 - 8$$
$$= 432$$
$$48 \times 9 = 432$$

Mémoire

- Écris les multiplications inférieures à 10 × 10 que tu as de la difficulté à mémoriser.
- Compare tes multiplications avec celles d'autres élèves.
- Forme un groupe avec les élèves qui ont indiqué les mêmes multiplications que toi.
- Imaginez ensemble des moyens pour retenir ces multiplications.

Situation 2

- Modifie le texte de chacune des situations suivantes afin que l'on trouve la réponse en effectuant une division.
- Indique les résultats obtenus.

A Une caisse contient 714 emballages de 6 boissons aux fruits chacun. Combien de boissons aux fruits y a-t-il dans cette caisse ?

B Neuf personnes vendent des billets pour une œuvre de charité. Chaque personne a vendu 333 billets. Combien de billets ces personnes ont-elles vendus en tout ?

C Daniel possède une collection de 413 timbres. La collection d'Odile comprend 7 fois plus de timbres que celle de Daniel. Combien y a-t-il de timbres dans la collection d'Odile ?

Tour de table

- Comment as-tu procédé pour modifier ces situations ?
- Décris la technique que tu utilises pour multiplier ou diviser par écrit.
- D'après toi, quels sont les moyens les plus efficaces pour effectuer mentalement une multiplication et une division ?
- De quelle façon procèdes-tu pour vérifier tes calculs ?

Vérifie si l'énoncé ci-contre est vrai.
Utilise différents nombres.
Note tes exemples et compare-les avec ceux d'autres élèves.

> Le produit de 2 nombres qui se suivent est toujours un nombre pair.

1 **A** Parmi les nombres pairs de 70 à 100, lesquels sont des multiples de 4 ?

B Parmi les nombres impairs de 1 à 9, lesquels sont des diviseurs de 945 ?

2 Trouve chacun des produits ci-dessous en effectuant 2 autres multiplications plus simples.

A $290 \times 8 = ?$　　　**B** $808 \times 4 = ?$　　　**C** $675 \times 7 = ?$

3 Parmi les divisions suivantes, laquelle a le plus petit quotient ?

a) $603 \div 9 = ?$　　　b) $504 \div 6 = ?$　　　c) $518 \div 7 = ?$

4

*C'est ma fête demain !
Aujourd'hui, mon âge
est un multiple de 3.
Demain, ce sera un
multiple de 5.*

*Quel âge a-t-elle
aujourd'hui ?*

 5 **Le jeu MULTI-DIVI**

- Ce jeu se joue à 3 ou 4. Un ou une élève de chaque groupe joue le rôle d'arbitre.
- Avant de commencer la partie, il faut construire le dé sur la feuille qu'on vous remettra. On a aussi besoin de jetons de 2 ou 3 couleurs différentes.
- À tour de rôle, les élèves placent un jeton sur une case et jettent le dé. On effectue mentalement l'opération indiquée par le dé en utilisant les nombres inscrits sur la case. Le premier terme de l'opération est le plus grand nombre.
- On indique le résultat et l'arbitre le vérifie. S'il est correct, le jeton reste en place. Sinon, l'arbitre le retire.
- La partie se termine lorsque toutes les cases sont occupées.

7 / 42	8 / 2	3 / 24	30 / 6	2 / 18	15 / 3
9 / 3	9 / 72	40 / 4	9 / 9	33 / 3	2 / 42
8 / 40	100 / 5	27 / 9	5 / 60	54 / 6	4 / 100

Cherche et trouve ••••••••••••••••••••••••••••

- Un moyen de reconnaître facilement un multiple de 2, un multiple de 5, un multiple de 10.
- Un tour de magie dans lequel on doit effectuer des multiplications de nombres.

Extra !

Coffre au trésor

L'opération inverse de la multiplication est la division.

On peut donc vérifier le résultat d'une multiplication en effectuant une division.

$$42 \times 6 = 252$$
$$252 \div 6 = 42$$

Vocabulaire

Multiplication

La multiplication est une opération mathématique qui permet, à partir de deux nombres appelés «facteurs», d'obtenir un troisième nombre qui est le **produit** de ces nombres. Dans les nombres naturels, une multiplication a le sens d'une addition répétée.

symbole de la multiplication

$$42 \times 6 = 252$$

facteur

facteur

produit

Division

La division est une opération mathématique qui permet, à partir de deux nombres, d'obtenir un troisième nombre qui est le **quotient** de ces nombres. Le sens de la division est de trouver combien de fois une quantité est contenue dans une autre quantité ou de partager une quantité en parts égales. Dans les nombres naturels, une division peut avoir le sens d'une soustraction répétée.

symbole de la division

$$252 \div 6 = 42$$

dividende

diviseur

quotient

Gammes

Quelle est l'opération inverse de chacune des multiplications suivantes ? Effectue tes calculs mentalement.

- $25 \times 3 = ?$
- $25 \times 6 = ?$
- $25 \times 2 = ?$

- $25 \times 4 = ?$
- $20 \times 8 = ?$
- $30 \times 3 = ?$

- $50 \times 6 = ?$
- $40 \times 7 = ?$
- $45 \times 10 = ?$

- $32 \times 100 = ?$
- $16 \times 10 = ?$
- $9 \times 100 = ?$

Leçon 6

Maude doit représenter sur une échelle de mesure la taille qu'elle avait de 1 an à 4 ans.
Son père lui remet les résultats de mesure qu'il a notés le jour des anniversaires de Maude.
À quel endroit, sur l'échelle, Maude doit-elle indiquer chacun de ces résultats de mesure ?

Maude

1 an :   7 dm
2 ans :   8,2 dm
3 ans : 93,5 cm
4 ans :   1,02 m

105 cm

95 cm

85 cm

75 cm

65 cm

Situation 1

- Forme un groupe avec 3 élèves qui n'ont pas la même taille que toi.
- À l'aide de différents matériels, construisez une échelle de mesure sur laquelle vous représenterez la taille de chacun d'entre vous.

> *Les résultats de mesure peuvent-ils s'exprimer à l'aide de différentes unités de mesure ? Lesquelles ?*

> *Quelle est la différence entre la taille de la personne la plus grande et la taille de la personne la plus petite dans ton groupe ?*

Tour de table

- La stratégie que vous avez utilisée pour construire l'échelle de mesure a-t-elle été efficace ?
- Si c'était à refaire, quels changements apporteriez-vous ?
- Le matériel que vous avez utilisé convenait-il ?
- Êtes-vous satisfaits de la participation de chacune des personnes du groupe ?

Culture

Autrefois, chez les Égyptiens, l'unité de mesure appelée « brasse » correspondait à la taille parfaite d'un homme, de la plante des pieds au sommet de la tête.
La brasse équivalait à une longueur de 18 poings.
Le « poing » était une autre unité de mesure utilisée à l'époque. Le poing avait une longueur d'environ 10 cm.
Quelle était, en mètres, la taille parfaite d'un homme à cette époque ?

Situation 2

La taille moyenne des personnes peut varier selon le pays qu'elles habitent.
Le tableau ci-dessous indique la taille moyenne en 1987 des hommes et des femmes de 3 pays différents.
À l'aide de bandes de papier, représente la taille de ces différentes personnes.

	États-Unis	Japon	Pays-Bas
Femmes	162,5 cm	1,53 m	16,96 dm
Hommes	1755 mm	165,5 cm	1825 mm

Tour de table

- Comment as-tu procédé pour déterminer la longueur des bandes de papier?
- Quelles difficultés as-tu éprouvées? Quels moyens as-tu utilisés pour les surmonter?
- Quelles connaissances as-tu utilisées pour représenter correctement ces longueurs?

Chaque mois, les cheveux poussent d'environ 1 cm. Ils peuvent atteindre une longueur de 60 à 90 cm.
Chaque mois, les ongles des mains poussent d'environ 3 mm.
À partir de ces données, illustre par des dessins les longueurs représentant la croissance des cheveux et des ongles au cours d'une année.
Imprime ton travail et compare-le avec celui d'autres élèves.

1 Trace une ligne dont la longueur correspond à chacun des résultats de mesure suivants. Utilise une règle.

A 10,5 cm   **B** 3 dm   **C** 45 mm   **D** 1,8 dm

2 Écris les résultats de mesure ci-dessous en utilisant une unité de mesure plus petite.

A 3 m   **B** 1,5 cm   **C** 2 dm   **D** 4,5 m

3 Quelle longueur, en centimètres, est équivalente à chacune des longueurs suivantes ?

A 7,2 dm   **B** 2 m   **C** 1,8 m   **D** 50 mm

4 À l'aide de réglettes Cuisenaire, représente une longueur moins longue que chacun des résultats de mesure ci-dessous.

A 14 mm   **B** 1 dm   **C** 17 cm

Quels objets de la vie quotidienne peux-tu associer à quelques-unes des longueurs indiquées dans cette page ?

 5 Élyse utilise 2 rubans de longueurs différentes pour emballer un cadeau.

Le ruban rouge a une longueur de 7 dm.

Le ruban bleu est plus court que le ruban rouge.

La différence de longueur entre ces 2 rubans est de 20 mm.

Quelle est la longueur du ruban bleu ?

 6 Le périmètre d'un carré est de 2 dm.

Trace ce carré sur la feuille qu'on te remettra. Utilise une règle.

Cherche et trouve ●

- Des records de longueurs au sujet de fruits et de légumes, de tailles, de hauteurs d'édifices, etc.
- La différence entre la taille que tu avais à la naissance et celle que tu as présentement.

Extra !

Coffre au trésor

Le nombre décimal 2,34 comporte une virgule qui sépare l'entier des parties de l'unité.

Entier			Partie	
Centaine	Dizaine	Unité	Dixième	Centième
		2	3	4

Lorsque j'effectue par écrit une addition ou une soustraction de nombres décimaux, j'aligne les virgules et les chiffres qui occupent la même position.

Vocabulaire

Dixième

Un dixième représente une partie d'un tout partagé en 10 parties équivalentes.

Cette partie s'exprime symboliquement par $\frac{1}{10}$ ou 0,1.

Centième

Un centième représente une partie d'un tout partagé en 100 parties équivalentes.

Cette partie s'exprime symboliquement par $\frac{1}{100}$ ou 0,01.

Ordre décroissant

L'ordre décroissant est une façon de disposer des éléments du plus grand au plus petit.

Gammes

- Invite une ou un élève à te dicter 3 nombres décimaux qui ont un chiffre à droite de la virgule et 3 nombres décimaux qui ont deux chiffres à droite de la virgule.

- Comparez ces nombres. Déterminez le plus grand et le plus petit.

Concerto pour la terre

Selon les statistiques, le nombre de macareux moines au Québec s'élève présentement à 48 347. Ces macareux sont répartis dans 19 colonies. À partir de l'information donnée dans le tableau ci-dessous, indique le nombre de macareux qu'il peut y avoir dans chacune des 19 colonies.

Nombre de colonies	Nombre de macareux moines dans chaque colonie
2	de 1 à 10
10	de 11 à 100
3	de 101 à 1000
2	de 1001 à 10 000
2	de 10 001 à 100 000

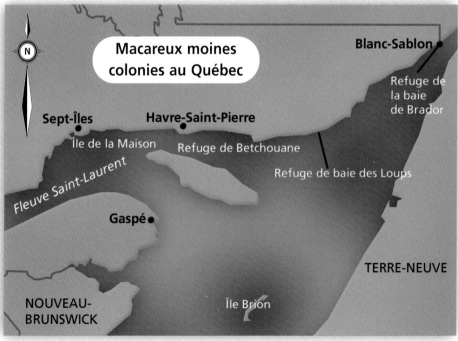

Le macareux moine est surnommé le « perroquet des mers » par les marins. C'est un des oiseaux marins les plus familiers au Canada. Les macareux nichent en colonies sur les rochers de petites îles. Ils se nourrissent surtout de petits poissons. Leur longueur varie de 28 à 34 cm. Leur durée de vie est d'environ 20 ans. Pour se maintenir en vol, le macareux doit effectuer de 300 à 400 battements d'ailes chaque minute.

Au diapason 1

Écris tes réponses sur une feuille.

1 Indique à quelle position se trouve le chiffre 6 dans chacun des nombres suivants.

A 84 069 **B** 64 809 **C** 48 906 **D** 98 604 **E** 86 940

2 Réponds aux questions suivantes en utilisant chaque fois 2 fractions qui ont des dénominateurs différents.

A Quelle fraction de l'ensemble ci-contre les étoiles rouges représentent-elles?

B Quelle fraction de l'ensemble ci-contre les étoiles jaunes représentent-elles?

C Quelle fraction de l'ensemble ci-contre les étoiles bleues représentent-elles?

3 Nomme le solide que tu peux obtenir avec chacun des développements suivants.

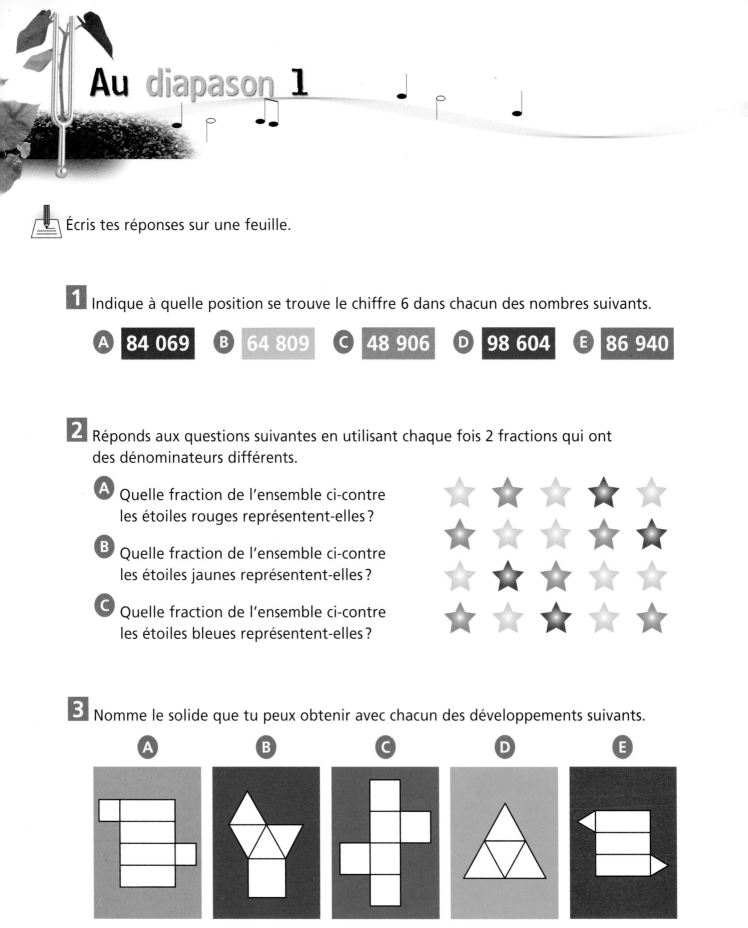

A **B** **C** **D** **E**

4 A Quelle est la somme de 3704 et 4896?

B Quelle est la différence entre 8214 et 5863?

C Ève est née en 1957. Elle fête aujourd'hui son anniversaire.
Quel âge a-t-elle?

5 A Quel est le produit de 587 par 8?

B Quel est le quotient de 672 par 7?

C Quelle est l'opération inverse de 74 × 6?

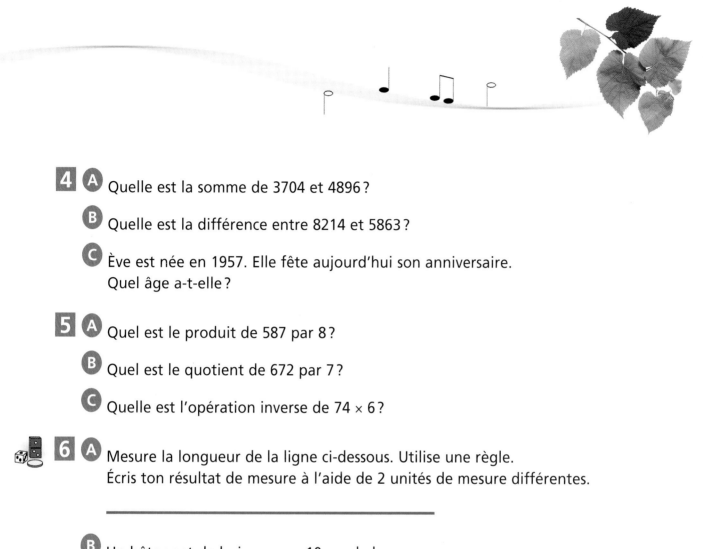

6 A Mesure la longueur de la ligne ci-dessous. Utilise une règle.
Écris ton résultat de mesure à l'aide de 2 unités de mesure différentes.

B Un bâtonnet de bois mesure 10 cm de longueur.
Combien de bâtonnets identiques à celui-ci doit-on mettre bout à bout
pour obtenir une longueur entre 1 m et 1,2 m?

7 A Quel groupe d'objets illustrés
sur cette page de catalogue
peux-tu acheter avec 76,26 $:
le groupe de la section bleue
ou le groupe de la section verte?

B Combien d'argent te resterait-il?

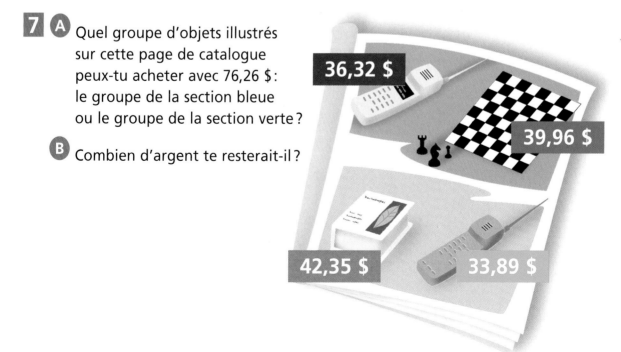

36,32 $

39,96 $

42,35 $

33,89 $

Concerto pour les terriens

Le Bénin est un pays d'Afrique. Le revenu annuel par habitant était d'environ 1450,00 $ en 1999. L'espérance de vie dans ce pays est d'environ 50 ans.

Au Bénin, une personne sur deux a moins de 15 ans.
Chaque année, environ 134 enfants par 1000 habitants ont des retards de croissance.
Même si l'école est obligatoire jusqu'à 12 ans, un enfant sur deux n'est pas scolarisé.
Les conditions d'études sont très difficiles. Il peut y avoir 80 élèves par classe et un seul livre disponible pour l'ensemble de ces élèves.

> Il y a 778 personnes dans mon village. D'après l'information ci-dessus, combien de personnes ont moins de 15 ans?

> Combien d'enfants auront des retards de croissance cette année dans mon village de 3500 habitants?

> Il y a 78 élèves dans ma classe. D'après toi, comment peut-on procéder pour que chaque élève puisse consulter le seul livre disponible?

Leçon  8

Minh s'amuse à former des polygones à l'aide de cure-dents.
Comment doit-il disposer 4 cure-dents pour former un quadrilatère
qui n'est pas un carré ?

Situation 1

Quel est le plus petit nombre de cure-dents nécessaires pour représenter chacun des polygones suivants ?

- Un trapèze qui a 3 côtés de même longueur et qui n'a aucun angle droit.
- Un parallélogramme dont 2 côtés n'ont pas la même longueur que les autres.
- Un rectangle.
- Un polygone non convexe qui a 5 côtés.

> Les cure-dents doivent se toucher aux extrémités seulement.

Tour de table

- Combien d'essais as-tu faits ?
- Quelles difficultés as-tu éprouvées ? Comment les as-tu surmontées ?
- Es-tu satisfait ou satisfaite des résultats obtenus ?
- Comment procèdes-tu pour distinguer les quadrilatères ?

Ordinateur

- Écris une séquence d'actions qui permettront d'obtenir un quadrilatère non convexe à l'écran de l'ordinateur.
- Expérimente cette séquence auprès d'une ou d'un élève.
- Vérifie si le polygone obtenu convient. S'il y a lieu, apporte des corrections à ta séquence.

Pour faciliter ma communication, j'identifie par une lettre chaque sommet de ce polygone.

Situation 2

- Forme un groupe avec 2 élèves.
- Construisez le dé et découpez les étiquettes sur les feuilles qu'on vous remettra.
- Pliez les étiquettes et déposez-les dans un sac.
- Un membre du groupe tire une étiquette et un autre jette le dé. Le troisième essaie de représenter un polygone qui convient à la description sur l'étiquette en utilisant le nombre de cure-dents indiqué par le dé.
  S'il est impossible de représenter ce polygone, on jette à nouveau le dé pour obtenir une autre quantité de cure-dents.
- On recommence l'activité jusqu'à ce que chaque élève ait représenté au moins 2 polygones.

> Les cure-dents doivent se toucher aux extrémités seulement.

Tour de table

- As-tu utilisé une stratégie particulière pour former ces polygones? Laquelle?
- Quel sens donnes-tu au mot «parallèle»? au mot «perpendiculaire»?
- Comment procèdes-tu pour vérifier si deux droites sont parallèles ou perpendiculaires entre elles?
- Quel symbole indique que deux droites sont parallèles entre elles? que deux droites sont perpendiculaires entre elles?

Créativité

Donne des exemples qui prouvent que la définition de Youri **ne convient pas**.

Un carré est un polygone qui possède 4 côtés de même longueur.

1 Agrandis chacun des polygones suivants de façon à obtenir un polygone semblable.
Utilise une règle et la feuille qu'on te remettra.

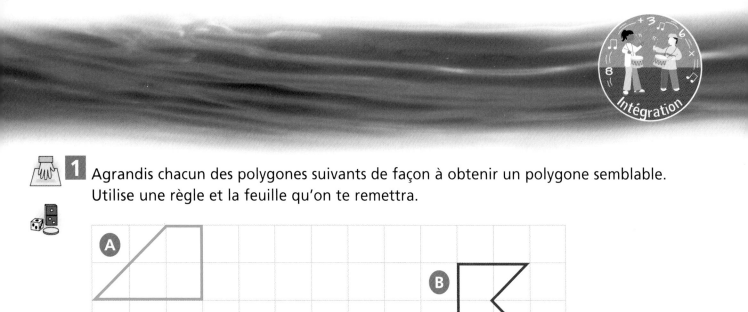

2
• Découpe les polygones sur la feuille qu'on te remettra.
• Utilise 2 de ces polygones pour former chacun des quadrilatères ci-dessous.
• Décris chacun des polygones obtenus.

A Un trapèze.   **B** Un parallélogramme.   **C** Un losange.

Quelles ressemblances
y a-t-il entre ces polygones ?

3 Reproduis 3 fois le segment de droite ci-contre sur la feuille qu'on te remettra. Utilise une règle. Chaque segment sera l'un des côtés d'un quadrilatère.

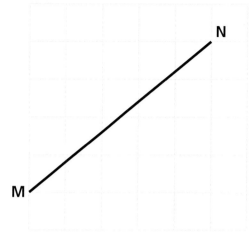

A À partir du premier segment, trace un losange.

B À partir du deuxième segment, trace un parallélogramme.

C À partir du troisième segment, trace un trapèze.

4 Repère 3 quadrilatères différents dans l'illustration ci-dessous. Identifie chacun de ces quadrilatères à l'aide des lettres qui sont près des sommets. Indique les différences entre ces quadrilatères.

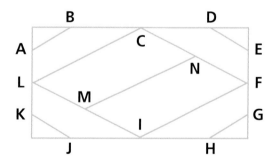

Cherche et trouve ●●●●●●●●●●●●●●●●●●●●●●

- Des drapeaux de pays sur lesquels on retrouve des quadrilatères convexes, des quadrilatères non convexes ou d'autres polygones.
- Des objets dont certaines faces ont la forme de parallélogrammes, de losanges ou de trapèzes.

Extra !

Vocabulaire

Segment de droite
Un segment de droite est une partie d'une droite. Un segment de droite peut être identifié par des lettres, par exemple :

A • ———— • B

Droite
Une droite est une ligne dont l'ensemble infini de points alignés suit toujours la même direction.

Droites parallèles
Deux droites parallèles entre elles n'ont aucun point d'intersection. Elles ne se coupent pas. La distance qui sépare deux droites parallèles est toujours la même.

Droites perpendiculaires
Deux droites sont perpendiculaires entre elles si elles se coupent en formant 4 angles droits.

Polygone
Un polygone est une figure plane délimitée par une ligne simple, brisée et fermée (frontière). Un polygone est donc formé uniquement de segments de droite. Chacun des segments de droite qui forment le polygone est un côté de ce polygone. La rencontre de 2 côtés détermine un sommet du polygone. Un polygone a donc le même nombre de côtés et de sommets.

Polygone convexe
Un polygone est convexe s'il est toujours possible d'effectuer l'action suivante : relier 2 sommets non consécutifs en passant seulement à l'intérieur du polygone. Un polygone est non convexe s'il n'est pas possible d'effectuer cette action.

Quadrilatère
Un quadrilatère est un polygone qui a 4 côtés.

Carré
Un carré est un quadrilatère qui a 4 côtés de même longueur et 4 angles droits.

Rectangle
Un rectangle est un quadrilatère qui a 4 angles droits.

Losange
Un losange est un quadrilatère qui a 4 côtés de même longueur.

Parallélogramme
Un parallélogramme est un quadrilatère dont les côtés opposés sont parallèles deux à deux.

Trapèze
Un trapèze est un quadrilatère dont 2 des côtés sont parallèles entre eux.

Gammes

Effectue mentalement les additions ci-dessous.

- 36 + 9 = ?
- 243 + 9 = ?
- 78 + 9 = ?

- 167 + 9 = ?
- 604 + 9 = ?
- 1092 + 9 = ?

- 55 + 9 = ?
- 86 + 9 = ?
- 895 + 9 = ?

J'utilise une stratégie pour effectuer facilement ces additions. J'ajoute 10, puis j'enlève 1.

Un producteur de spectacles a organisé un concert au profit des enfants victimes de la guerre. Il observe le diagramme à bandes qui représente le nombre de billets vendus durant 4 jours.

Quels changements doit-il apporter à ce diagramme pour exprimer en milliers le nombre de billets vendus chaque jour ?

Nombre de billets (en dizaines)

2000	
1800	
1600	samedi
1400	mardi
1200	lundi
1000	
800	jeudi
600	
400	
200	
0	

Situation 1

Ce producteur de spectacles prévoyait vendre 10 centaines de billets de moins chacune de ces journées-là.

Représente dans un diagramme à bandes le nombre de billets, en centaines, qu'il prévoyait vendre chacune de ces journées.

Utilise une règle, la feuille qu'on te remettra et les données du diagramme à bandes de la page 67.

Tour de table

- Comment as-tu procédé pour réaliser ce diagramme à bandes?
- Quelles connaissances as-tu utilisées?
- Quelles différences y a-t-il entre le diagramme à bandes de la page 67 et celui que tu viens de construire?

Culture

Les premiers mathématiciens chinois se servaient d'une notation particulière pour effectuer leurs calculs. Ils utilisaient 9 dessins pour représenter les chiffres de 1 à 9 et laissaient un espace vide lorsqu'ils voulaient représenter le zéro. Ils représentaient ces chiffres à l'aide de baguettes qu'ils disposaient verticalement ou horizontalement selon la position occupée par les chiffres. Les dessins correspondant aux chiffres à la position des unités, des centaines, des dizaines de mille, etc., étaient placés **verticalement**. Les dessins correspondant aux chiffres à la position des dizaines, des unités de mille, etc., étaient placés **horizontalement**. Par exemple, le dessin du nombre 5 était ‖‖‖ et celui du nombre 50 était ☰.

- Fais comme les mathématiciens chinois et écris différents nombres à l'aide de baguettes. Utilise l'information ci-contre.

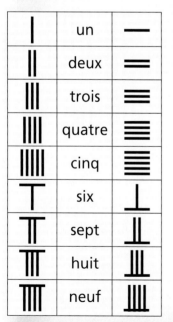

 ## Situation 2

Représente dans un diagramme à bandes le nombre de sièges, en milliers, dans 5 stades.
Choisis tes données dans le tableau ci-dessous.
Utilise une règle et la feuille qu'on te remettra.

Stade	Nombre de sièges
Tokyo Dome (Japon)	55 609
Ellis Park Stadium (Afrique du Sud)	37 500
Parc des Princes (France)	48 427
Hershey Park (Pennsylvanie)	15 641
Edmonton Stadium (Alberta)	60 000
Stade olympique (Québec)	55 589
Perth Center (Australie)	8 200
Sydney Super Dome (Australie)	16 000

Certains nombres doivent d'abord être arrondis au millier près.

Tour de table

- Décris chacune des étapes que tu as suivies.
- Es-tu satisfait ou satisfaite du résultat obtenu?
- Qu'as-tu appris?
- D'après toi, comment procède-t-on pour estimer le nombre de personnes qui assistent à un spectacle?

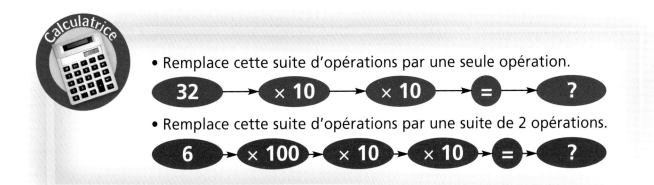

- Remplace cette suite d'opérations par une seule opération.

$$32 \rightarrow \times 10 \rightarrow \times 10 \rightarrow = \rightarrow ?$$

- Remplace cette suite d'opérations par une suite de 2 opérations.

$$6 \rightarrow \times 100 \rightarrow \times 10 \rightarrow \times 10 \rightarrow = \rightarrow ?$$

1 Décompose sous la forme d'une addition chacun des nombres suivants.

A 54 682   **B** 35 097   **C** 40 308

2 Combien de centaines faut-il enlever au nombre 76 209 pour obtenir la représentation matérielle ci-contre ?

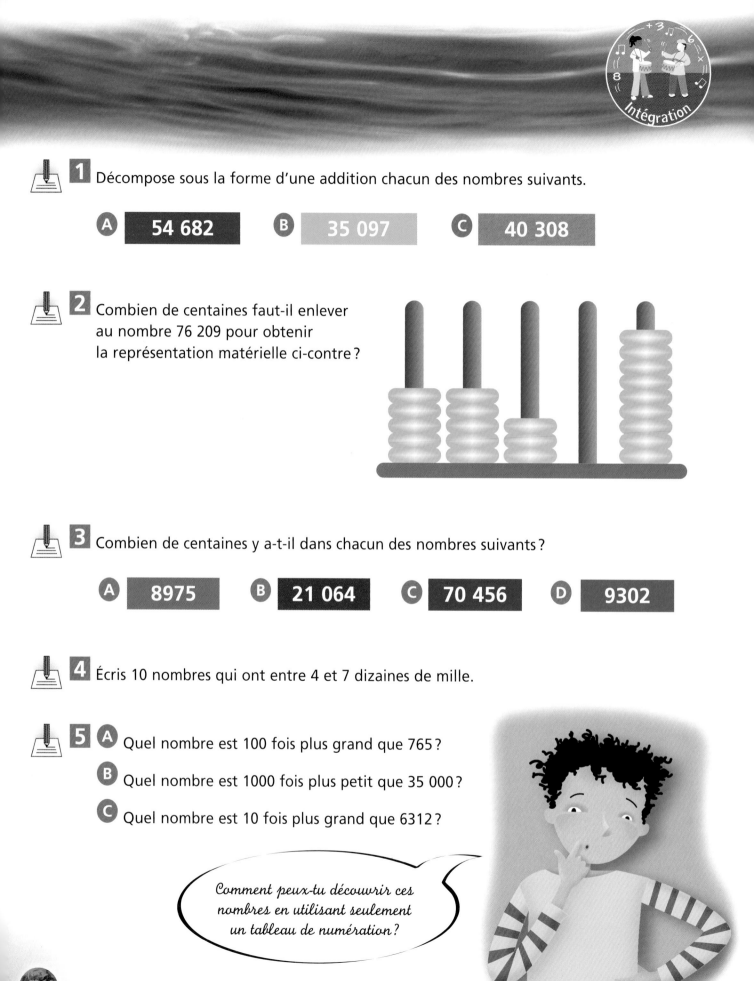

3 Combien de centaines y a-t-il dans chacun des nombres suivants ?

A 8975   **B** 21 064   **C** 70 456   **D** 9302

4 Écris 10 nombres qui ont entre 4 et 7 dizaines de mille.

5 A Quel nombre est 100 fois plus grand que 765 ?

   B Quel nombre est 1000 fois plus petit que 35 000 ?

   C Quel nombre est 10 fois plus grand que 6312 ?

Comment peux-tu découvrir ces nombres en utilisant seulement un tableau de numération ?

 6 Récris le texte ci-dessous en arrondissant à la dizaine près les nombres qui viennent avant 10 000 et au millier près ceux qui viennent après 10 000.

> On estime qu'entre 12 565 et 15 046 personnes ont participé à un projet environnemental. Parmi ces personnes, il y avait de 4700 à 6090 jeunes de 10 à 17 ans.

 7 Indique si chacune des affirmations suivantes est vraie ou fausse.

A 23 centaines et 4 dizaines, c'est la même chose que 1580.

B 18 dizaines et 9 unités, c'est la même chose que 1890.

C 20 unités de mille et 15 dizaines, c'est la même chose que 21 500.

D 250 centaines et 5 dizaines, c'est la même chose que 25 050.

 8 Dans combien de nombres, de 27 000 à 28 000, retrouve-t-on un seul chiffre 7 ?

Quelle stratégie as-tu utilisée pour découvrir cette quantité ?

Cherche et trouve •••••••••••••••••••••••••

- Dans une revue ou un journal, des données numériques représentées à l'aide d'un diagramme à bandes.
- Les règles du jeu Mikado, puis transforme-les afin qu'on utilise les notions d'unité, de dizaine, de centaine et de millier quand on y joue.

Extra !

Coffre au trésor

Pour déterminer combien de centaines il y a dans un nombre, je procède de la façon suivante.
J'utilise un tableau de numération.
J'inscris le nombre dans ce tableau.
Je cache les colonnes à droite de celle des centaines.
Je sais maintenant qu'il y a 789 centaines dans le nombre 78 956 puisque je peux former 789 groupes de 100 avec cette quantité.

DM	UM	C	D	U
7	8	9		

Gammes

Quel est le double de chacun des nombres suivants ?

- 8
- 44
- 25
- 35
- 30
- 75
- 12
- 18
- 24
- 70
- 50
- 56
- 100
- 33
- 9
- 64

Leçon 10

Voici des renseignements au sujet de 2 espèces de macaques.
Quel schéma pourrais-tu élaborer pour découvrir toutes les différences
de masses possibles entre ces 2 espèces ?

MACAQUE À TOQUE

Ordre : primates
Taille : de 38 à 53 cm
Masse : de 3 à 6 kilogrammes
Habitat : les forêts tropicales du Sri Lanka
Note : Ce macaque passe les trois quarts de son temps dans les arbres.

MACAQUE NÈGRE

Ordre : primates
Taille : de 45 à 55 cm
Masse : de 8 à 10 kilogrammes
Habitat : les forêts humides de Sulawesi
Note : En 10 ans, la moitié de cette population de macaques a été décimée.

Situation 1

Représente chacune des situations ci-dessous à l'aide d'un schéma.
Réponds à la question en effectuant mentalement tes calculs.
Utilise l'information suivante.

> **La taille du singe araignée (tête et corps) est de 35 à 60 cm.**
> **La longueur de sa queue varie de 50 à 90 cm.**

A Quelles sont toutes les longueurs totales, en centimètres, des singes ayant une taille de moins de 40 cm et une queue de 54 à 60 cm de longueur ?

B Dans un zoo, un singe araignée a une longueur totale de 120 cm. Quelle peut être, en centimètres, la longueur de chacune des parties de son corps (tête, corps et queue) ?

Tour de table

- Comment as-tu procédé pour élaborer tes schémas ?
- Quelle information as-tu utilisée ?
- Comment as-tu organisé les données ?
- Quelle stratégie as-tu utilisée pour effectuer mentalement tes calculs ?
- As-tu fait des apprentissages ? Lesquels ?

Créativité

- Consulte une encyclopédie ou un livre de records sur les animaux et recueille quelques données comportant des nombres naturels.
- Imagine une situation mathématique à l'aide des données recueillies.
- Invite des élèves à résoudre ta situation. Apportes-y des changements si c'est nécessaire.

Situation 2

Formule une situation mathématique qui convient à chacun des schémas ci-dessous.
Réponds à tes questions en effectuant mentalement les calculs.

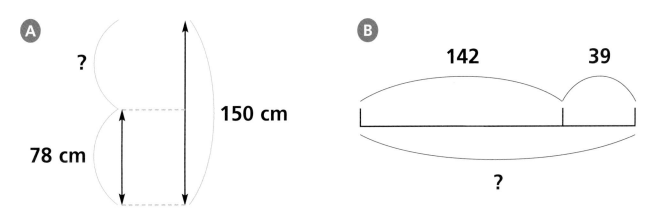

A ? 150 cm 78 cm

B 142 39 ?

Tour de table

- Présente tes situations et explique les résultats que tu as obtenus.
- Comment as-tu procédé pour formuler tes situations?
- Quel sens as-tu donné à chacun des schémas?
- Quels éléments t'ont mis sur une bonne piste?
- Quelles connaissances as-tu utilisées?

Mémoire

- Indique à un ou une élève tous les mots que tu connais qui te font penser à l'opération d'addition.
- Continue en disant à cette personne tous les mots que tu connais qui te font penser à l'opération de soustraction, puis à l'opération de multiplication, et ensuite à l'opération de division.

Résous les situations suivantes à l'aide de schémas si c'est possible.
Laisse les traces de tes solutions (démarches et résultats).
Effectue mentalement les calculs quand c'est possible.

1 Hier matin, le livret de banque de
Jonathan indiquait un solde de 107 $.
Durant cette journée, il a déposé
180 $ et il a retiré 67 $.
Aujourd'hui, il a retiré 95 $
et il a déposé 120 $.
Quel solde le livret de banque
de Jonathan indique-t-il après
ces transactions?

2 Une salle de concert peut accueillir 3475 personnes.
On a offert 695 billets à des personnes défavorisées pour qu'elles assistent
à un concert dans cette salle.
On a aussi vendu 1096 billets pour ce concert.
Combien de billets sont encore disponibles pour ce concert?

3 En 1870, un ouvrier travaillait 63 heures par semaine.
En 1990, un ouvrier travaillait 39 heures par semaine.
Combien d'heures l'ouvrier de 1870 avait-il travaillé de plus que celui de 1990
au bout de 2 semaines?

4 Une encyclopédie en 8 volumes
contient 2690 pages.
Utilise l'information ci-contre et indique
combien de pages chacun
des autres volumes pourrait contenir.

Volume	Nombre de pages
A	300
B	290
C	305
D	325
E	275

5 Le bébé d'un rorqual boit environ 70 litres de lait par jour.
Le bébé d'un cachalot boit environ 200 litres de lait par jour.
Combien de litres de lait le bébé cachalot boit-il de plus que le bébé rorqual
en une semaine?

Une mère rorqual
et son petit.

Cherche et trouve ·······························

Avec d'autres élèves, discute des sujets suivants.

Dans quelles situations
l'usage de la calculatrice
est-il nécessaire?

Dans quelles situations
l'usage de l'ordinateur
est-il nécessaire?

Extra !

Coffre au trésor

On peut utiliser différentes stratégies pour calculer mentalement.

Voici des exemples:

• Effectuer mentalement une soustraction en procédant par étapes:

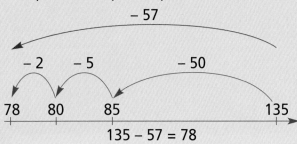

135 − 57 = 78

• Effectuer mentalement une addition en ajoutant tour à tour les centaines, les dizaines et les unités:

256 + 392 = ?
256 + 300 = 556
556 + 90 = 646
646 + 2 = 648
256 + 392 = 648

• Effectuer mentalement une soustraction en enlevant un nombre plus grand puis en ajoutant ce qu'on a enlevé en trop:

600 − 277 = ?

600 − 280 = 320
320 + 3 = 323
600 − 277 = 323

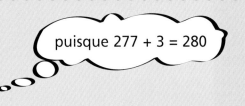

puisque 277 + 3 = 280

Vocabulaire

Masse

La masse est la quantité de matière d'une personne, d'un animal ou d'un objet.
Le kilogramme est l'unité de mesure de la masse dans le système métrique.

Gammes

Invite une personne à te demander pendant 5 minutes les résultats de multiplications tirées des tables de 2, de 5 et de 10.

Trouve les résultats le plus rapidement possible.
Compte le nombre de résultats exacts que tu as obtenus.

Compare ce nombre avec celui obtenu par d'autres élèves.

Leçon 11

Valérie et Charles jouent aux cartes.

Le $\frac{1}{8}$ des cartes de Valérie sont des piques.

Charles a 3 fois plus de piques que Valérie dans son jeu.

Quelle fraction des cartes de Charles sont des piques?

Situation 1

Les multiplications ci-dessous représentent différentes situations qui peuvent se produire quand on joue aux cartes. Découvre les résultats de ces multiplications à l'aide d'un jeu de cartes.

A $4 \times \dfrac{1}{6} = ?$ **B** $5 \times \dfrac{1}{10} = ?$

C $2 \times \dfrac{1}{4} = ?$ **D** $1 \times \dfrac{1}{2} = ?$

E $3 \times \dfrac{1}{8} = ?$ **F** $6 \times \dfrac{1}{9} = ?$

Par exemple, la multiplication en A) peut représenter la situation suivante. Chaque personne pige 6 cartes dans un jeu. Annie obtient seulement un coeur tandis qu'Arthur en obtient 4 fois plus qu'elle. Quelle fraction des cartes d'Arthur les coeurs représentent-ils ?

Tour de table

- Comment as-tu procédé pour découvrir chacun de ces résultats ?
- Combien de cartes as-tu utilisées chaque fois ?
- Peux-tu exprimer les résultats obtenus à l'aide de fractions équivalentes ? Lesquelles ? Comment procèdes-tu pour déterminer ces fractions ?
- Peux-tu imaginer d'autres situations qui peuvent être représentées par ces multiplications ? Lesquelles ?

Les fractions ci-dessous représentent respectivement le nombre de chevaux noirs et le nombre de chevaux blancs dans un attelage de 12 chevaux.
Imagine un moyen ou une stratégie pour comparer ces fractions afin de découvrir s'il y a plus de chevaux noirs ou de chevaux blancs dans cet attelage.

$\dfrac{4}{6}$ $\dfrac{4}{12}$

Situation 2

 Représente les situations ci-dessous à l'aide d'une multiplication et d'une addition équivalentes.

 Utilise les bandes sur la feuille qu'on te remettra pour découvrir les résultats de ces opérations.

A Céleste et Antonin ont emprunté le même roman à la bibliothèque. Ce roman contient 144 pages. Céleste a lu le $\frac{1}{12}$ de ces pages. Antonin a lu 8 fois plus de pages que Céleste. Quelle fraction des pages de ce roman Antonin a-t-il lues?

B On dispose d'une boîte de 12 petits gâteaux pour une collation. Les filles mangent 4 fois plus de gâteaux que les garçons. Quelle fraction des gâteaux de la boîte les filles ont-elles mangés si les garçons en ont mangé le $\frac{1}{6}$?

Tour de table

- Quels résultats as-tu obtenus?
- Peux-tu exprimer ces résultats à l'aide de fractions équivalentes? Lesquelles?
- De quelle façon as-tu utilisé les bandes?
- De quelle façon peux-tu utiliser les bandes pour découvrir des fractions équivalentes?
- Quel lien y a-t-il entre la multiplication et l'addition?
- Peux-tu formuler une autre question pour chacune de ces situations? Lesquelles?
- Quelles connaissances mathématiques sont utiles pour résoudre ces situations?

Représente la situation suivante dans un polygone partagé en parties équivalentes.

Un groupe de 18 personnes suivent un cours de secourisme.

Le $\frac{1}{9}$ de ces personnes ont plus de 50 ans.

Il y a 4 fois plus de personnes qui ont moins de 20 ans.

Quelle fraction de ce groupe les personnes de moins de 20 ans représentent-elles?

1 Le jeu de l'automne

- Ce jeu se joue à 2 ou 3. Chaque élève utilise une couleur différente de jetons.
- À tour de rôle, on jette 2 dés et on forme une fraction à partir des résultats obtenus. Par exemple, si on obtient 3 et 4, on peut dire «trois quarts».
- On place ensuite un jeton sur la feuille qui porte une multiplication dont le résultat correspond à cette fraction. S'il n'y a aucune multiplication qui convient, on passe son tour.
- Tu peux utiliser les bandes sur la feuille qu'on te remettra pour découvrir les résultats de ces multiplications.
- La partie se termine lorsque toutes les multiplications sont choisies.

$5 \times \dfrac{1}{6} = ?$

$4 \times \dfrac{1}{5} = ?$

$1 \times \dfrac{1}{4} = ?$

$2 \times \dfrac{1}{3} = ?$

$3 \times \dfrac{1}{6} = ?$

$2 \times \dfrac{1}{4} = ?$

$1 \times \dfrac{1}{2} = ?$

$4 \times \dfrac{1}{6} = ?$

$3 \times \dfrac{1}{4} = ?$

$2 \times \dfrac{1}{5} = ?$

$3 \times \dfrac{1}{3} = ?$

$1 \times \dfrac{1}{5} = ?$

$2 \times \dfrac{1}{6} = ?$

2 Quelle multiplication chaque illustration représente-t-elle ?

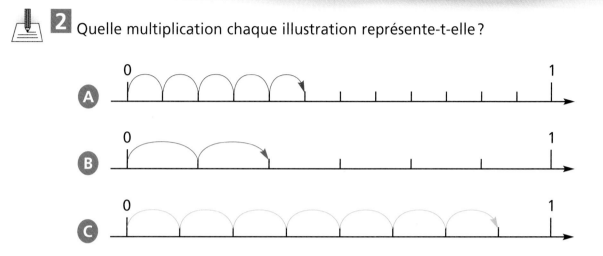

3 Lis la situation suivante. Quelle équation permet de répondre à la question ?

Katrine a 8 pièces
de monnaie.

Le $\frac{1}{4}$ de ces pièces sont
des pièces de 5 ¢.

Il y a 2 fois plus de pièces
de 10 ¢ que de pièces de 5 ¢.
Quelle fraction des pièces
sont des pièces de 10 ¢ ?

Cherche ^et^ trouve •••••••••••••••••••••

• Des situations de la vie quotidienne qui peuvent être représentées
par une multiplication ou une addition qui comporte des fractions.

Coffre au trésor

$$3 \times \frac{1}{4} = \frac{1}{4} + \frac{1}{4} + \frac{1}{4} = \frac{3}{4}$$

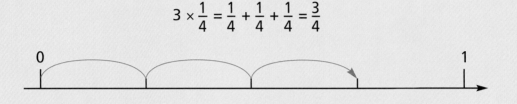

Vocabulaire

Fractions équivalentes

Des fractions sont équivalentes lorsqu'elles représentent la même quantité.

Par exemple, les $\frac{6}{12}$ d'un ensemble de 12 jetons représentent la même quantité que le $\frac{1}{2}$ ou les $\frac{3}{6}$ de cet ensemble.

Ces fractions sont donc équivalentes.

$$\frac{6}{12} = \frac{1}{2} = \frac{3}{6}$$

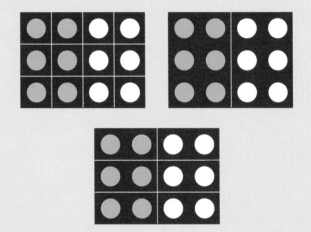

Gammes

Effectue mentalement les additions suivantes.

- 2,3 + 2,3 = ?
- 6,6 + 0,3 = ?
- 0,6 + 0,6 = ?
- 1,5 + 5,3 = ?

- 7,4 + 2,8 = ?
- 1,5 + 1,2 = ?
- 8,1 + 1,7 = ?
- 12,4 + 1,6 = ?

- 0,8 + 36 = ?
- 7,8 + 8,7 = ?
- 4,2 + 5,9 = ?
- 8,9 + 0,6 = ?

Leçon 12

À partir des informations données à la radio, quelle est la durée la plus longue?

Aujourd'hui, à Québec, le soleil se lèvera à 7 h 13 et se couchera à 17 h 45 tandis que la lune se lèvera à 19 h 58 et se couchera à 10 h 28.

Situation 1

Le tableau ci-contre indique l'heure du lever et du coucher du soleil et de la lune, à 3 endroits différents, la même journée.
À partir de cette information, détermine 6 durées et compare-les. Utilise l'horloge sur la feuille qu'on te remettra.

Endroit	Lever du soleil	Coucher du soleil	Lever de la lune	Coucher de la lune
Iqaluit (Nunavut)	07:45	16:50	18:14	11:43
Toronto (Ontario)	07:41	18:23	20:42	10:53
Paris (France)	07:22	17:45	15:52	06:25

Tour de table

- Comment as-tu interprété ce que tu devais faire?
- Décris la démarche que tu as utilisée.
- Quels commentaires peux-tu faire à propos des résultats obtenus?

Le système de mesure du temps que nous utilisons n'est pas issu de notre système en base 10. Il nous vient des Babyloniens qui vécurent il y a plus de 6000 ans. Les Babyloniens avaient eux aussi commencé à compter sur leurs doigts (dizaine), mais ils avaient remarqué que les nombres 12, 24 et 60 avaient plus de diviseurs que le nombre 10. De là vient le partage du jour en 12 heures, de l'heure en 60 minutes, et de la minute en 60 secondes.

- Si tu partages un cadran d'horloge en parties égales qui correspondent chaque fois à l'un des 12 diviseurs de 60, combien de minutes chacune de ces parties représente-t-elle?

Situation 2

Tout comme les êtres humains, les animaux ont besoin de dormir. Le tableau ci-dessous indique la durée du sommeil nécessaire chaque jour à certains d'entre eux.

Indique chacune de ces durées à l'aide d'une unité de mesure de temps différente de celle qui est mentionnée.

Utilise l'horloge sur la feuille qu'on te remettra pour trouver ces durées.

Animal	Durée du sommeil
Grenouille	14,5 heures
Vache	240 minutes
Chien	10,5 heures
Girafe	120 minutes
Chauve-souris	20 heures
Chat	12 heures
Serpent	18 heures
Phoque	360 minutes

Les adultes ont besoin de 8 heures de sommeil chaque jour. Les adolescents ont besoin de 10 à 12 heures de sommeil chaque jour. Combien d'heures une chauve-souris a-t-elle dormi de plus qu'un adulte au bout d'une semaine ?

Tour de table

- Comment as-tu procédé pour transformer chacun de ces résultats de mesure ?
- Quelles connaissances mathématiques as-tu utilisées ?
- As-tu estimé tes résultats ? Comment as-tu procédé ?
- D'après toi, serait-il possible que les petits animaux dorment plus longtemps que les gros ?

Le 29 août 1930, Mike Ritof et Édith Boudreaux ont commencé un marathon de danse à Chicago. Ils ont dansé durant 5148 h 28 min 30 s et ont remporté le premier prix de 20 000 $ pour cet exploit. À quelle date Mike et Édith ont-ils terminé ce marathon ?

1 **A** Si tu utilises un sablier d'une durée de 4 minutes pour mesurer une heure, combien de fois devras-tu le retourner?

B Si tu utilises un sablier d'une durée de 3 minutes pour mesurer $\frac{3}{4}$ d'heure, combien de fois devras-tu le retourner?

Un sablier est un instrument qui sert à mesurer le temps.

2 Lyna s'entraîne pour une compétition de natation.
Elle se rend à la piscine 4 fois par semaine et s'entraîne chaque fois pendant 180 minutes.
Pendant combien de temps Dyna s'entraîne-t-elle chaque semaine?

3 Combien de fois, dans une journée, la grande aiguille d'une horloge se trouve-t-elle exactement entre les chiffres 2 et 3?

4 Pierre-Olivier se rend au cinéma pour la représentation de 19:05.
Il quitte la salle de cinéma à la fin du film, à 21:08.
Quelle est la durée exacte du film que Pierre-Olivier a vu?

Affiche publicitaire du premier cinématographe, en 1895

5 Les flèches sur chaque droite numérique ci-dessous représentent le début et la fin d'une réunion d'un conseil étudiant.

Ordonne les durées de ces réunions en commençant par la moins longue.

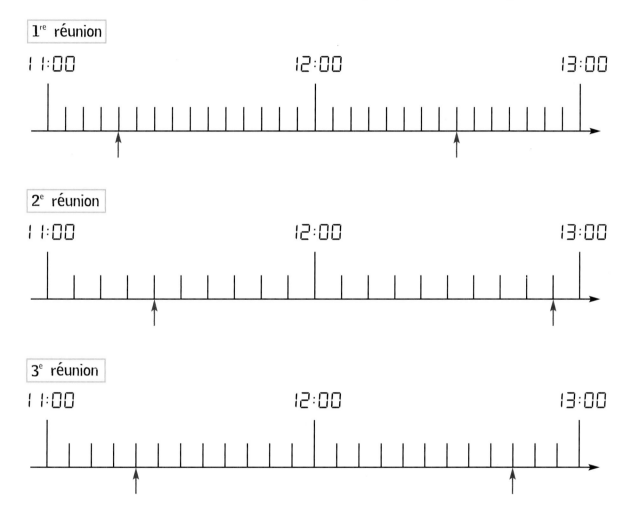

1re réunion

2e réunion

3e réunion

Cherche et trouve •••••••••••••••••••••••••••

- Des recettes de cuisine où le temps de cuisson est inférieur à une heure.
- La durée exacte de ton film préféré en différentes unités de mesure de temps.

Extra !

Coffre au trésor

Il y a 24 heures dans un jour. Le symbole d'heure est « h ».

Il y a 60 minutes dans une heure. Le symbole de minute est « min ».

Il y a 60 secondes dans une minute. Le symbole de seconde est « s ».

Quand on compare 2 durées, il faut utiliser la même unité de mesure.

Je remarque qu'il y a différentes façons de noter l'heure. On utilise parfois seulement des chiffres et, d'autres fois, des lettres et des chiffres.

Gammes

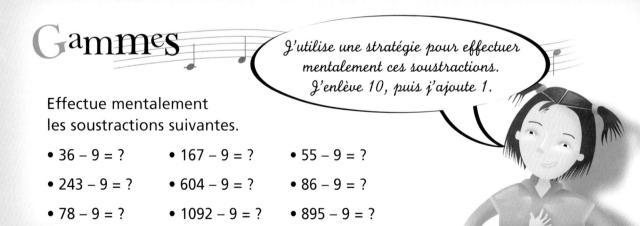

J'utilise une stratégie pour effectuer mentalement ces soustractions. J'enlève 10, puis j'ajoute 1.

Effectue mentalement les soustractions suivantes.

- 36 – 9 = ?
- 167 – 9 = ?
- 55 – 9 = ?
- 243 – 9 = ?
- 604 – 9 = ?
- 86 – 9 = ?
- 78 – 9 = ?
- 1092 – 9 = ?
- 895 – 9 = ?

Situation 1

Choisis l'une des consignes ci-dessous et applique-la à chacun des nombres suivants.

A 516   **B** 92   **C** 408   **D** 660

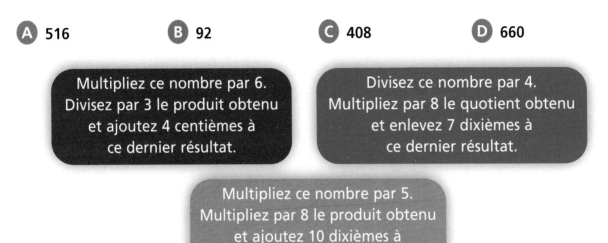

Multipliez ce nombre par 6.
Divisez par 3 le produit obtenu
et ajoutez 4 centièmes à
ce dernier résultat.

Divisez ce nombre par 4.
Multipliez par 8 le quotient obtenu
et enlevez 7 dixièmes à
ce dernier résultat.

Multipliez ce nombre par 5.
Multipliez par 8 le produit obtenu
et ajoutez 10 dixièmes à
ce dernier résultat.

Tour de table

- Les résultats que tu as obtenus correspondent-ils à tes estimations? à tes vérifications?
- Es-tu satisfait ou satisfaite des techniques de calcul que tu as utilisées?
- Quels changements pourrais-tu y apporter pour acquérir plus d'efficacité et de rapidité?
- Est-il possible de remplacer ces suites d'opérations par deux opérations? par une seule opération?

Calculatrice

Trouve la somme et la différence des nombres suivants.
- Le plus grand nombre décimal de 5 chiffres
  que tu peux former à l'aide des touches ⊡, 0 et 9 .
- Le plus grand nombre décimal de 3 chiffres que tu peux former
  à l'aide des touches ⊡, 5 et 3 .

Note: Sur la calculatrice, la touche ⊡ correspond à la virgule
dans un nombre décimal.

Situation 2

- Construis la roulette d'opérations sur la feuille qu'on te remettra.
- Écris un nombre décimal inférieur à 500 et supérieur à 450.
- Fais tourner la flèche sur la roulette et effectue les suites d'opérations que tu obtiens en utilisant ce nombre décimal comme nombre de départ.
- Fais tourner de nouveau la flèche et effectue d'autres suites d'opérations.

Après chaque tour, compare ton résultat avec celui d'autres élèves. Découvre qui a obtenu le plus grand ou le plus petit résultat.

Tour de table

- Sur la roulette, est-il possible de remplacer chaque suite d'opérations par une seule? Laquelle?
- Quelles connaissances mathématiques as-tu utilisées pour effectuer ces opérations?
- Quelles difficultés as-tu éprouvées? Quel moyen as-tu utilisé pour les surmonter?

Mémoire

Mémorise les nombres de la grille ci-contre pendant une minute. Utilise une stratégie. Ferme ensuite ton manuel et écris ces nombres dans une grille semblable.

0	1	2	3	4	5	6	7	8	9
8	9	0	1	2	3	4	5	6	7
6	7	8	9	0	1	2	3	4	5
4	5	6	7	8	9	0	1	2	3
2	3	4	5	6	7	8	9	0	1
0	1	2	3	4	5	6	7	8	9

1 Le jeu des 3 dés

- Formez un groupe de 4 et déterminez la personne qui jouera le rôle d'arbitre.
- Construisez les 3 dés sur la feuille qu'on vous remettra.
- L'arbitre jette l'ensemble des dés et forme un nombre à l'aide de tous les résultats obtenus.
- La première personne qui indique une addition ou une soustraction dont le résultat correspond au nombre indiqué par l'arbitre reçoit un jeton.
- Le jeu se poursuit de la même façon jusqu'à ce que l'arbitre ait remis au moins 8 jetons.

 2 Écris 2 multiplications de nombres naturels dont le produit est plus grand que chacun des nombres suivants.

A 250 **B** 562

 **3** Écris 3 divisions de nombres naturels dont le quotient se situe entre les nombres indiqués.

A Entre 20 et 30 **B** Entre 55 et 60

4 Décompose chacun des nombres décimaux ci-dessous à l'aide d'une addition qui comporte une ou des fractions.

Ⓐ **125,98**   Ⓑ **203,7**   Ⓒ **96,04**   Ⓓ **1340,29**

5 Combien de dixièmes y a-t-il dans chacun des nombres décimaux suivants ?

Ⓐ **5,67**   Ⓑ **906,4**   Ⓒ **37,82**   Ⓓ **259,03**

6 Combien de centièmes dois-tu ajouter à chacun des nombres décimaux suivants pour obtenir un nombre naturel ?

Ⓐ **0,38**   Ⓑ **15,09**   Ⓒ **8,47**   Ⓓ **24,60**

Tu peux utiliser un abaque ou un tableau de numération pour découvrir plus facilement ces réponses.

Cherche et trouve ••••••••••••••••••••••••••••••

- Un bon de commande dans un catalogue, ou ailleurs. Imagine que tu passes une commande. Remplis le bon de commande et effectue les calculs nécessaires.

Extra !

Coffre au trésor

Lorsqu'on multiplie un nombre par 1, le produit est toujours ce même nombre.

256 × 1 = 256

Lorsqu'on multiplie un nombre par 0, le produit est toujours 0.

256 × 0 = 0

Zéro est le premier multiple de tous les nombres.

Vocabulaire

Nombre décimal

Un nombre décimal est un nombre qui comprend une partie décimale exprimée en base 10 et un nombre fini de chiffres après la virgule.

Par exemple, 0,25 (vingt-cinq centièmes) et 8,4 (huit et quatre dixièmes) sont des nombres décimaux.

Nombre naturel

L'ensemble des nombres naturels est formé de la suite de nombres entiers qui commence par 0, 1, 2, 3, 4… et qui se poursuit à l'infini.

Nombre pair

Un nombre pair est un nombre entier qui se divise exactement par 2. Un nombre pair a le chiffre 0, 2, 4, 6 ou 8 à la position des unités.

Gammes

Invite une personne à te demander pendant 5 minutes les résultats de multiplications tirées des tables de 3, de 6 et de 9.

Trouve les résultats le plus rapidement possible.
Compte le nombre de résultats exacts que tu as obtenus.

Compare ce nombre avec celui obtenu par d'autres élèves.

Leçon 14

Les insectes ont 3 paires de pattes. La majorité d'entre eux mesurent au plus 25 mm de longueur.

Les mygales font partie de la famille des araignées. Elles ont 8 yeux et autant de pattes.

À partir de ces renseignements, peux-tu déterminer si les mygales sont des insectes ?

Situation 1

Résous les situations suivantes sans effectuer de divisions.
Laisse les traces de tes solutions (démarches et résultats) et communique-les à d'autres élèves.

A Il y a environ 30 000 espèces d'araignées.
Le nombre de mues dans la vie d'une araignée varie selon l'espèce et sa durée
de vie. Il est possible qu'une araignée mue 20 fois en 10 ans.
Dans ce cas, à quels intervalles réguliers cette araignée
pourrait-elle muer?

B Une araignée peut tisser une toile en 75 minutes.
Combien de toiles cette araignée
pourrait-elle tisser en 5 heures?

Tour de table

- Quelles opérations as-tu effectuées pour répondre à ces questions?
- Quelle opération as-tu utilisée pour remplacer la division?
- Pourrais-tu résoudre ces situations à l'aide d'un schéma? Lequel?
- Quels termes mathématiques as-tu utilisés lors de ta communication?

Culture

L'énigme mathématique la plus
ancienne a été trouvée sur un
papyrus égyptien écrit il y a environ
3700 ans. En voici une traduction.
Résous cette énigme.

> En allant au marché, j'ai rencontré un homme et 7 femmes.
> Chaque femme avait 7 sacs. Chaque sac contenait 7 chattes
> et chaque chatte avait 7 petits. Petits, chattes, sacs, femmes
> et homme, combien allaient au marché?

Situation 2

Le tableau ci-contre présente
le nombre de battements d'ailes
à la seconde de différentes
espèces volantes.
Utilise cette information et certains
calculs déjà effectués pour répondre
aux questions posées.

	Nombre de battements d'ailes à la seconde
Mouche	environ 300
Colibri	de 55 à 75
Abeille	environ 200
Libellule	de 20 à 90
Maringouin	de 300 à 800

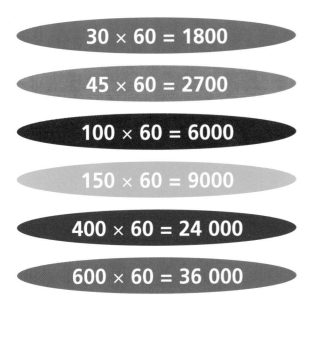

$30 \times 60 = 1800$

$45 \times 60 = 2700$

$100 \times 60 = 6000$

$150 \times 60 = 9000$

$400 \times 60 = 24\ 000$

$600 \times 60 = 36\ 000$

A Quel est le plus grand
nombre de battements
d'ailes qu'une libellule
peut faire de plus qu'un
colibri en une minute?

Les colibris sont les oiseaux
les plus petits.
Ils se nourrissent de nectar.

B Quel est le plus grand nombre
de battements d'ailes qu'un maringouin
peut faire de plus qu'une mouche en
une minute?

Tour de table

- Décris la démarche que tu as utilisée.
- Quels calculs as-tu choisis? Pour quelles raisons?
- Connais-tu une autre façon de procéder pour répondre à ces questions? Laquelle?

 Résous les situations suivantes.
Laisse les traces de tes solutions (démarches et résultats).

1 La charge maximale d'un ascenseur
est de 900 kilogrammes.
Il y a déjà 8 adultes dans cet ascenseur.
La masse moyenne de chacune de
ces personnes est de 73 kilogrammes.
Combien d'autres personnes
l'ascenseur peut-il encore transporter?

2 Il y a 9 jours, Mélanie a emprunté un roman de 287 pages à la bibliothèque.
Depuis ce temps, elle lit 20 pages chaque jour.
Combien de pages de ce roman lui restera-t-il à lire si elle lit 28 pages le 10e soir?

Sais-tu quel livre contient le plus de pages dans la bibliothèque de ton école?

Peux-tu estimer le nombre de mots qu'il y a dans une page de roman?

Intégration

3 Ronnie fait une sortie éducative avec des élèves de son école.
On utilise 3 autobus pour cette sortie.
Chaque autobus peut accueillir 56 passagers.
Deux autobus sont complets tandis qu'il reste 19 places libres dans le troisième.
Combien de personnes participent à cette sortie éducative ?

4 Deux kangourous se rendent à la rivière.
L'un fait 5 bonds de 2 m pour atteindre le bord de la rivière.
L'autre fait 6 bonds de 1,5 m pour atteindre le même endroit.
Lequel de ces kangourous était le plus près de la rivière ?

5 Imagine 2 questions mathématiques que tu pourrais poser à partir de l'information ci-dessous.

Les mille-pattes les plus longs
ne possèdent pas plus de 200 pattes.
Les scolopendres sont formés d'une vingtaine
de segments. Chaque segment comporte
une paire de pattes.

Un mille-pattes.

Un scolopendre.

Cherche ᵉᵗ trouve •

- Des renseignements numériques sur des insectes. Utilise ces données pour comparer ces insectes entre eux.
- La meilleure forme à donner à une aile de papier pour obtenir le plus grand nombre possible de battements à la seconde.

Extra !

Coffre au trésor

Dans une situation mathématique, le mot « plus » peut amener à effectuer une addition, une soustraction ou une multiplication.

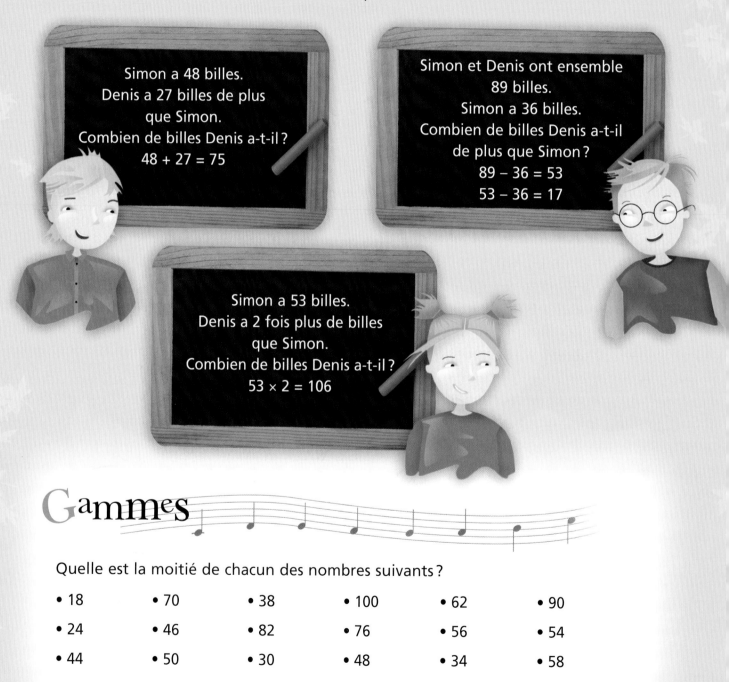

Simon a 48 billes.
Denis a 27 billes de plus que Simon.
Combien de billes Denis a-t-il ?
48 + 27 = 75

Simon et Denis ont ensemble 89 billes.
Simon a 36 billes.
Combien de billes Denis a-t-il de plus que Simon ?
89 – 36 = 53
53 – 36 = 17

Simon a 53 billes.
Denis a 2 fois plus de billes que Simon.
Combien de billes Denis a-t-il ?
53 × 2 = 106

Gammes

Quelle est la moitié de chacun des nombres suivants ?

• 18	• 70	• 38	• 100	• 62	• 90
• 24	• 46	• 82	• 76	• 56	• 54
• 44	• 50	• 30	• 48	• 34	• 58

Concerto pour la terre

 1 Le Canada est formé de 10 provinces et de 3 territoires.

Construis 10 polygones qui ont la forme de chacune des provinces du Canada.

Dispose-les de façon à représenter cette partie de la carte du Canada.

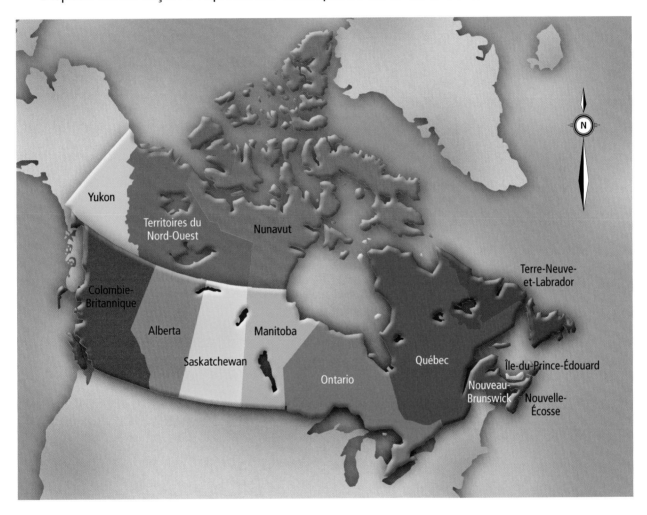

2 Les forêts boréales et tempérées couvrent près de la moitié de la surface terrestre du Canada.

D'après toi, quelle fraction peut représenter la surface de ces forêts ?

Utilise des réglettes Cuisenaire ou un autre matériel pour le découvrir.

Au diapason 2

Écris tes réponses sur une feuille.

1 **A** Décris le polygone ci-contre à l'aide de termes mathématiques. Donne au moins 3 caractéristiques.

B Quelle différence y a-t-il entre un parallélogramme et un trapèze ?

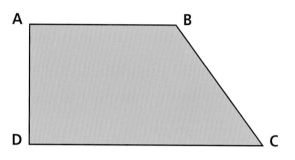

2 **A** Arrondis à la centaine près chacun des nombres suivants.

- 9841
- 25 987
- 10 572

B Arrondis au millier près chacun des nombres suivants.

- 7509
- 56 397
- 31 724

3 Résous la situation suivante à l'aide d'un schéma.

> Il y a 24 manèges dans un parc d'attractions.
> Le bateau pirate peut accueillir 97 personnes.
> Les montagnes russes peuvent accueillir 49 personnes de plus que le bateau pirate.
> Combien de personnes les montagnes russes peuvent-elles accueillir ?

4 Quelle addition répétée de fractions est équivalente à chacune des multiplications suivantes ?

A $4 \times \frac{1}{5}$

B $2 \times \frac{1}{3}$

C $3 \times \frac{1}{4}$

5 **A** Felipe a quitté la maison à 17:18.
Il est revenu à 19:47.
Quelle a été la durée de son absence?

B Marie-Lise termine habituellement son travail à 16:30.
Aujourd'hui, elle a fait 105 minutes de temps supplémentaire.
À quelle heure a-t-elle terminé son travail aujourd'hui?

6 Effectue la suite d'opérations ci-dessous. Quel nombre obtiens-tu?

Quatre-vingt-sept → Multiplier par 6 → Diviser par 9 → Ajouter 4 centièmes → ?

7 Résous la situation suivante. Laisse les traces de ta solution (démarches et résultats).

Un train de passagers quitte la gare.
Il y a 78 sièges dans chacun des 3 wagons.
Le premier wagon est complet tandis qu'il reste
15 sièges libres dans le deuxième wagon.
Il y a 2 fois plus de sièges libres dans le troisième
wagon que dans le deuxième.
Combien de passagers ce train transporte-t-il?

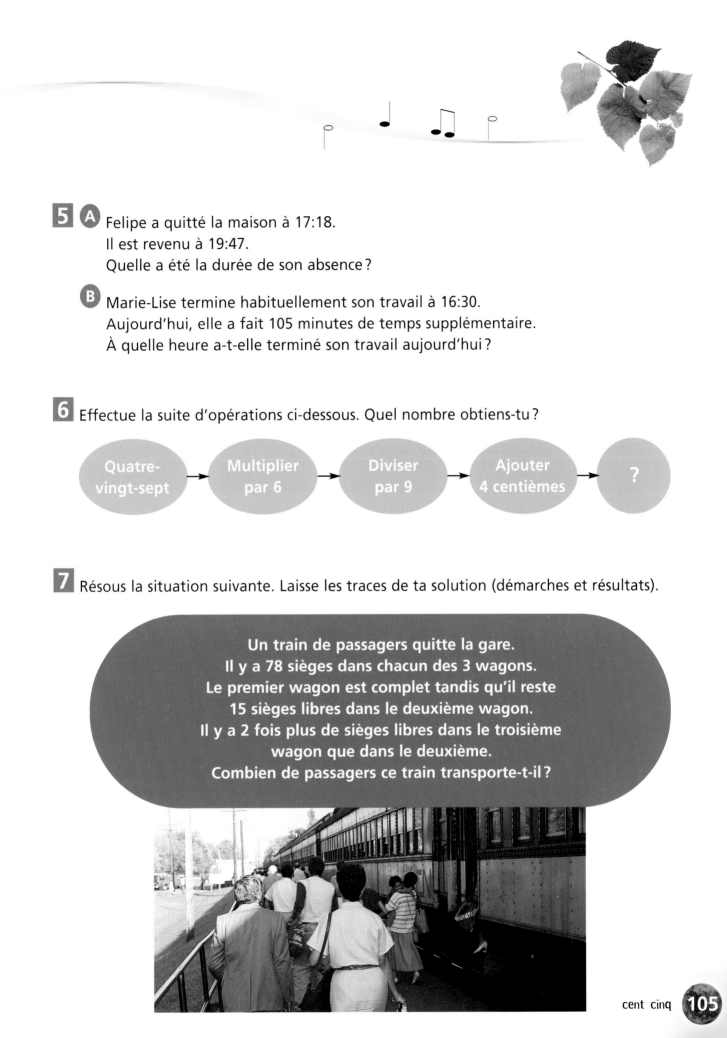

Concerto pour les terriens

Le Népal est un pays d'Asie, situé dans l'Himalaya, entre la Chine et l'Inde. C'est là que se trouve le plus haut sommet du monde, le mont Everest.

1 Les conditions de vie sont très difficiles dans les écoles publiques du Népal. L'une de ces écoles primaires accueille 120 élèves dans 4 classes.

Il n'y a pas d'électricité dans cette école et certains enfants doivent faire de 2 à 3 heures de marche par jour pour s'y rendre.

L'argent recueilli par l'UNICEF permet d'apporter de l'aide aux enfants des pays dans le besoin.

Le tableau ci-contre indique le coût de certains produits.

Calcule combien d'argent il faut recueillir pour fournir ces produits à tous les élèves de l'école.

Capsules de vitamine A pour protéger 10 enfants contre la cécité	25 ¢
Vaccins contre la rougeole pour 12 enfants	1,00 $
2 cahiers	10 ¢

2 Dans une école privée du Népal, les cours débutent à 10 h et se terminent à 16 h. Ils durent 40 minutes chacun. Il y a 4 cours avant la récréation et 4 cours après la récréation. Les élèves vont à l'école du dimanche au vendredi.

Le vendredi après-midi et le samedi sont jours de congé.

Réponds aux questions ci-dessous. Compare tes résultats avec ceux que tu obtiendrais à partir de ton propre horaire.

Quelle est la durée de ma récréation chaque jour d'école?

Quelle a été la durée de mes cours au bout d'une semaine?

Cadence

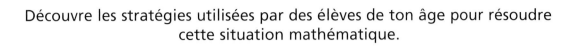

Découvre les stratégies utilisées par des élèves de ton âge pour résoudre cette situation mathématique.

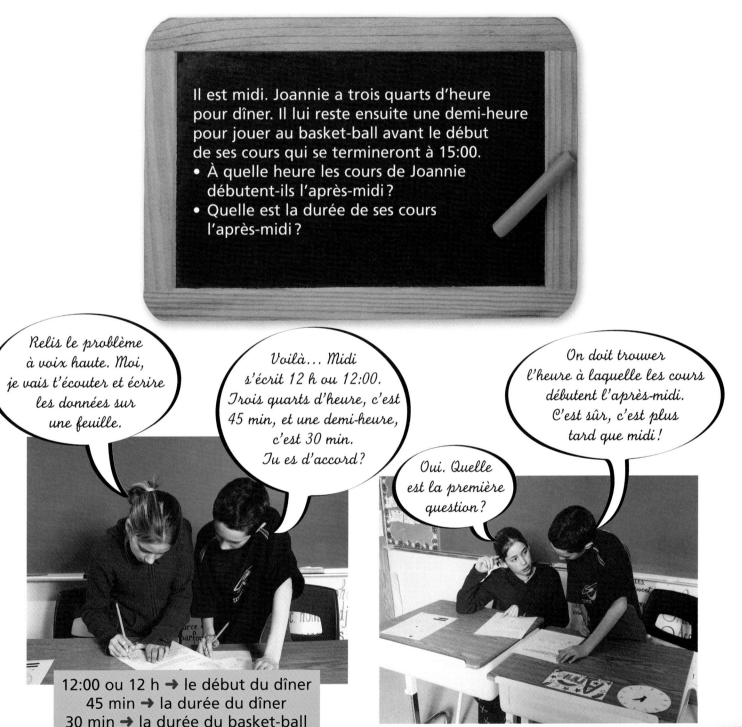

Il est midi. Joannie a trois quarts d'heure pour dîner. Il lui reste ensuite une demi-heure pour jouer au basket-ball avant le début de ses cours qui se termineront à 15:00.
- À quelle heure les cours de Joannie débutent-ils l'après-midi ?
- Quelle est la durée de ses cours l'après-midi ?

Relis le problème à voix haute. Moi, je vais t'écouter et écrire les données sur une feuille.

Voilà… Midi s'écrit 12 h ou 12:00. Trois quarts d'heure, c'est 45 min, et une demi-heure, c'est 30 min. Tu es d'accord ?

On doit trouver l'heure à laquelle les cours débutent l'après-midi. C'est sûr, c'est plus tard que midi !

Oui. Quelle est la première question ?

12:00 ou 12 h → le début du dîner
45 min → la durée du dîner
30 min → la durée du basket-ball
15:00 ou 15 h → la fin des cours

Le dîner et le basket, ça fait une durée totale de 75 min, parce que 45 + 30 = 75.

75 min, c'est la même chose que 1 h 15 min, parce que 1 h, c'est 60 min, et il reste 15 min.

J'ajoute 1 h 15 min à 12 h. Les cours vont débuter à 13:15. Quelle est la seconde question?

75 – 60 = 15

On doit aussi trouver la durée des cours l'après-midi. On sait qu'ils se terminent à 15:00.

Les cours commencent à 13:15. De 13:15 à 14:15, il y a 1 h. De 14:15 à 15:00, il y a trois quarts d'heure ou 45 min. Les cours durent donc 1 h 45 min.

Vérifions nos réponses. On pourrait utiliser un autre moyen.

D'accord. Essayons avec une horloge.

Connais-tu une autre démarche pour résoudre cette situation? Laquelle?

Savoirs essentiels

leçon 1 — Nombres naturels ≤ 100 000: lecture, écriture, estimation, représentations variées, comparaison, ordre, expressions équivalentes, décomposition, composition, régularités, droite numérique

leçon 2 — Fractions (tout et collection d'objets) (/2, /3, /4, /5, /10): lecture, écriture, numérateur, dénominateur, représentations variées, parties équivalentes, comparaison à 0, à 1, à 1/2

leçon 3 — Solides: description (prismes, pyramides), identification, développement de prismes et de pyramides
Polygones: description de polygones convexes

leçon 4 — Addition, soustraction (nombres naturels): sens des opérations, relation entre l'addition et la soustraction, sens de la relation d'égalité (équation), sens de la relation d'équivalence, calcul mental, calcul écrit (nombres de 2, 3 ou 4 chiffres), propriétés
Statistique: interprétation d'un tableau de données

leçon 5 — Multiplication, division (nombres naturels): sens des opérations, relation entre la multiplication et la division, sens de la relation d'égalité (équation), sens de la relation d'équivalence, calcul mental, calcul écrit (multiplication de nombres de 2 ou 3 chiffres par un nombre inférieur à 10, division de nombres de 2 ou 3 chiffres par un nombre inférieur à 10), multiple, diviseur, propriétés
Solides: construction d'un cube

leçon 6 — Longueur: estimation, mesurage (m, dm, cm, mm), relations entre les unités de mesure, périmètre
Nombres décimaux: sens, lecture, écriture
Statistique: interprétation d'un tableau de données

leçon 7 — Nombres décimaux: sens, lecture, écriture, dixièmes, centièmes, représentations variées, ordre, expressions équivalentes, décomposition, composition, approximation
Addition, soustraction (nombres décimaux): calcul mental, calcul écrit, approximation de résultats, choix de l'opération

leçon 8 — Figures planes: polygones (convexes, non convexes), quadrilatères, identification, construction, description (côtés, sommets, angles droits, aigus, obtus, côtés parallèles, perpendiculaires)
Solides: construction

leçon 9 — Nombres naturels ≤ 100 000: lecture, écriture, approximation, comparaison, régularités, expressions équivalentes, décomposition, composition, représentations variées, droite numérique
Statistique: interprétation et représentation de données à l'aide d'un diagramme à bandes

leçon 10 — Addition, soustraction, multiplication, division (nombres naturels): calcul mental, calcul écrit, élaboration et interprétation de représentations schématiques, choix de l'opération
Statistique: interprétation d'un tableau de données

leçon 11 — Fractions: lecture, écriture, sens, représentations variées, comparaison, fractions équivalentes, Addition, multiplication (fractions): sens, addition de fractions (même dénominateur), multiplication par un nombre naturel, relation entre l'addition et la multiplication, calculs à l'aide de matériels et de schémas, choix de l'opération

leçon 12 — Temps: estimation et mesurage, relations entre les unités de mesure (jour, heure, minute, seconde), durée
Addition, soustraction, multiplication, division (nombres naturels): choix de l'opération, calcul mental, calcul écrit
Fractions: sens, représentation (droite numérique), fractions équivalentes
Statistique: interprétation d'un tableau de données

leçon 13 — Addition, soustraction, multiplication, division (nombres naturels) et addition, soustraction (nombres décimaux): calcul mental, calcul écrit, approximation et vérification de résultats
Nombres décimaux: sens, lecture, écriture, décomposition, composition
Fractions: sens, relations avec les nombres décimaux, addition

leçon 14 — Addition, soustraction, multiplication, division (nombres naturels): calcul mental, calcul écrit, relations entre les opérations, choix de l'opération, représentations diverses, estimation et vérification de résultats
Nombres décimaux: sens
Longueur: relations entre les unités de mesure
Temps: relations entre les unités de mesure
Statistique: interprétation d'un tableau de données

Extra !

Leçon 1 — Page 20

Coffre au trésor

La valeur d'un chiffre ou d'un groupe de chiffres dans un nombre varie selon la position qu'ils occupent.

Un groupe de 10 unités vaut 1 dizaine.

Un groupe de 100 unités vaut 1 centaine ou 10 dizaines.

Un groupe de 1000 unités vaut 1 unité de mille, 10 centaines ou 100 dizaines.

Un groupe de 10 000 unités vaut 1 dizaine de mille, 10 unités de mille, 100 centaines ou 1000 dizaines.

DM	UM	C	D	U
			1	0
		1	0	0
	1	0	0	0
1	0	0	0	0

Vocabulaire

Chiffres et nombres
Les chiffres sont des symboles qui servent à écrire les nombres. Dans notre système de numération, nous utilisons les symboles 0, 1, 2, 3, 4, 5, 6, 7, 8 et 9 pour écrire les nombres. Les nombres sont généralement utilisés dans la vie courante pour exprimer des quantités.

Millier
Un millier équivaut à une quantité de 1000 unités.

Il y a des milliers d'étoiles dans le ciel.

Leçon 2 — Page 26

Coffre au trésor

Il peut être possible de partager un tout ou une collection d'objets en différentes parties équivalentes.

Par exemple, la collection ci-contre peut être partagée en 2, en 3, en 4, en 6 et en 12 parties équivalentes.

Le $\frac{1}{2}$, les $\frac{2}{4}$, les $\frac{3}{6}$ et les $\frac{6}{12}$ de cette collection représentent la même quantité.

Vocabulaire

Numérateur
Le numérateur d'une fraction indique le nombre de parties équivalentes du tout ou de la collection d'objets que l'on veut représenter. Ce terme est placé au-dessus de la barre de fraction.

$$\frac{1}{2}$$

Dénominateur
Le dénominateur d'une fraction indique en combien de parties équivalentes le tout, ou la collection d'objets, a été partagé. Ce terme est placé au-dessous de la barre de fraction.

Leçon 3 Page 32

Coffre au trésor

Il y a 2 groupes de solides : les **corps ronds** et les **polyèdres**.

Les solides qui font partie du groupe des corps ronds comportent au moins **une surface courbe**.

boule (sphère)   cylindre   cône

Les solides qui font partie du groupe des polyèdres comportent **seulement des faces planes**.

prisme   cube   prisme à base   pyramide
à base carrée   triangulaire   à base
                                        triangulaire

Vocabulaire

Développement d'un solide
La surface des polyèdres peut être mise à plat à partir de découpages le long de certaines arêtes. La figure ainsi obtenue s'appelle un développement du solide.

Arête et sommet
Dans un polyèdre, une arête correspond à l'endroit où se rencontrent 2 faces.

Dans un polyèdre, un sommet correspond à l'endroit où se rencontrent au moins 3 faces.

Prisme et pyramide
Les prismes et les pyramides sont des polyèdres. Ces solides ont des bases qui les caractérisent et qui permettent de les identifier avec précision. Les prismes ont 2 polygones identiques et parallèles qui leur servent de bases. Les pyramides ont un seul polygone qui leur sert de base.

Leçon 4 Page 38

Coffre au trésor

$$
\begin{array}{r}
{\scriptstyle 1\,1} \\
1234 \\
+\,5678 \\
\hline
6912
\end{array}
\qquad
\begin{array}{r}
{\scriptstyle 8\,10} \\
69\cancel{1}\cancel{2} \\
-\,5678 \\
\hline
1234
\end{array}
$$

Beaucoup de personnes utilisent les mêmes techniques pour additionner et soustraire des nombres par écrit. Ces techniques sont utilisées depuis longtemps.

Vocabulaire

Addition
L'addition est une opération mathématique qui permet, à partir de 2 nombres, d'en obtenir un troisième qui est la somme de ces nombres. Le résultat d'une addition s'appelle donc la **somme**. Le symbole de l'addition est « + ». L'opération inverse de l'addition est la soustraction.

Le sens de l'addition est d'ajouter, de réunir, ou de comparer des quantités.

Équation
Une équation est une expression mathématique qui contient le symbole « = » et un ou des termes qui sont représentés par ?, □, etc.
Par exemple, 15 + ? = 36 est une équation.

Soustraction
La soustraction est une opération mathématique qui permet, à partir de 2 nombres, d'en obtenir un troisième qui est la différence entre ces nombres. Le résultat d'une soustraction s'appelle donc la **différence**. Le symbole de la soustraction est « − ». L'opération inverse de la soustraction est l'addition.

Le sens de la soustraction est d'enlever une quantité à une autre, de trouver une quantité manquante ou de comparer des quantités entre elles.

Leçon 5 Page 44

Coffre au trésor

$42 \times 6 = 252$
$252 \div 6 = 42$

L'opération inverse de la multiplication est la division.

On peut donc vérifier le résultat d'une multiplication en effectuant une division.

• •

Vocabulaire

Multiplication

La multiplication est une opération mathématique qui permet, à partir de deux nombres appelés «facteurs», d'obtenir un troisième nombre qui est le **produit** de ces nombres. Dans les nombres naturels, une multiplication a le sens d'une addition répétée.

symbole de la multiplication

$42 \times 6 = 252$

facteur

facteur   produit

Division

La division est une opération mathématique qui permet, à partir de deux nombres, d'obtenir un troisième nombre qui est le **quotient** de ces nombres. Le sens de la division est de trouver combien de fois une quantité est contenue dans une autre quantité ou de partager une quantité en parts égales. Dans les nombres naturels, une division peut avoir le sens d'une soustraction répétée.

symbole de la division

$252 \div 6 = 42$

dividende

diviseur   quotient

Leçon 6 Page 50

Coffre au trésor

Une longueur de 2,3 cm est équivalente à une longueur de 23 mm.

On doit utiliser la même unité de mesure pour comparer des longueurs.

Un tableau peut te permettre de trouver facilement différentes équivalences.

m	dm	cm	mm
		2	3

• •

Vocabulaire

Mètre

Le mètre est l'unité de mesure de longueur du système métrique. Le symbole de cette unité est « m ».

Décimètre

Le décimètre est l'unité de mesure qui correspond à $\frac{1}{10}$ (0,1) d'un mètre. Le symbole de cette unité est « dm ».

Centimètre

Le centimètre est l'unité de mesure qui correspond à $\frac{1}{100}$ (0,01) d'un mètre. Le symbole de cette unité est « cm ».

Périmètre

Le périmètre est la longueur de la frontière d'un polygone.

Leçon 7 Page 56

Coffre au trésor

Le nombre décimal 2,34 comporte une virgule qui sépare l'entier des parties de l'unité.

	Entier			Partie	
Centaine	Dizaine	Unité	Dixième	Centième
		2	3	4

Vocabulaire

Dixième

Un dixième représente une partie d'un entier partagé en 10 parties équivalentes. Cette partie s'exprime symboliquement par $\frac{1}{10}$ ou 0,1.

Centième

Un centième représente une partie d'un entier partagé en 100 parties équivalentes. Cette partie s'exprime symboliquement par $\frac{1}{100}$ ou 0,01.

Ordre décroissant

L'ordre décroissant est une façon de disposer des éléments du plus grand au plus petit.

Leçon ⑧ Page 66

Vocabulaire

Segment de droite
Un segment de droite est une partie d'une droite. Un segment de droite peut être identifié par des lettres, par exemple :

A •———————• B

Droite
Une droite est une ligne dont l'ensemble infini de points alignés suit toujours la même direction.

Droites parallèles
Deux droites parallèles entre elles n'ont aucun point d'intersection. Elles ne se coupent pas. La distance qui sépare deux droites parallèles est toujours la même.

Droites perpendiculaires
Deux droites sont perpendiculaires entre elles si elles se coupent en formant 4 angles droits.

Polygone
Un polygone est une figure plane délimitée par une ligne simple, brisée et fermée (frontière). Un polygone est donc formé uniquement de segments de droite. Chacun des segments de droite qui forment le polygone est un côté de ce polygone. La rencontre de 2 côtés détermine un sommet du polygone. Un polygone a donc le même nombre de côtés et de sommets.

Polygone convexe
Un polygone est convexe s'il est toujours possible d'effectuer l'action suivante : relier 2 sommets non consécutifs en passant seulement à l'intérieur du polygone. Un polygone est non convexe s'il n'est pas possible d'effectuer cette action.

Quadrilatère
Un quadrilatère est un polygone qui a 4 côtés.

Carré
Un carré est un quadrilatère qui a 4 côtés de même longueur et 4 angles droits.

Rectangle
Un rectangle est un quadrilatère qui a 4 angles droits.

Losange
Un losange est un quadrilatère qui a 4 côtés de même longueur.

Parallélogramme
Un parallélogramme est un quadrilatère dont les côtés opposés sont parallèles deux à deux.

Trapèze
Un trapèze est un quadrilatère dont 2 des côtés sont parallèles entre eux.

Leçon ⑨ Page 72

Coffre au trésor

Pour déterminer combien de centaines il y a dans un nombre, je procède de la façon suivante. J'utilise un tableau de numération. J'inscris le nombre dans ce tableau. Je cache les colonnes à droite de celle des centaines. Je sais maintenant qu'il y a 789 centaines dans le nombre 78 956 puisque je peux former 789 groupes de 100 avec cette quantité.

DM	UM	C	D	U
7	8	9		

Coffre au trésor

On peut utiliser différentes stratégies pour calculer mentalement.

Voici des exemples :

- Effectuer mentalement une soustraction en procédant par étapes :

-57

-2 -5 -50

78   80   85   135

$135 - 57 = 78$

- Effectuer mentalement une addition en ajoutant tour à tour les centaines, les dizaines et les unités :

$256 + 392 = ?$
$256 + 300 = 556$
$556 + 90 = 646$
$646 + 2 = 648$
$256 + 392 = 648$

- Effectuer mentalement une soustraction en enlevant un nombre plus grand puis en ajoutant ce qu'on a enlevé en trop :

$600 - 277 = ?$

$600 - 280 = 320$
$320 + 3 = 323$
$600 - 277 = 323$

puisque $277 + 3 = 280$

Vocabulaire

Masse

La masse est la quantité de matière d'une personne, d'un animal ou d'un objet.
Le kilogramme est l'unité de mesure de la masse dans le système métrique.

Coffre au trésor

$$3 \times \frac{1}{4} = \frac{1}{4} + \frac{1}{4} + \frac{1}{4} = \frac{3}{4}$$

0   1

Vocabulaire

Fractions équivalentes

Des fractions sont équivalentes lorsqu'elles représentent la même quantité. Par exemple, les $\frac{6}{12}$ d'un ensemble de 12 jetons représentent la même quantité que le $\frac{1}{2}$ ou les $\frac{3}{6}$ de cet ensemble. Ces fractions sont donc équivalentes.

$$\frac{6}{12} = \frac{1}{2} = \frac{3}{6}$$